ECOLE2FRANCE
6001 Atkins Farm Court
Raleigh, NC 27606-8500
www.ecole2france.com

COLLECTION

ACTIVITÉS POUR LE CADRE COMMUN

A2

D1473534

Marie-Louise PARIZET
Éliane GRANDET
Martine CORSAIN

Conseillères pédagogiques
au Cavilam, Vichy

www.cle-inter.com

ECOLE2FRANCE
8001 Aldrin Frum Court
Raleigh, NC 27606-5500
www.ecole2france.com

Direction éditoriale : Michèle Grandmangin
Illustrations : Xavier Husson
Couverture : Maria Mercedes Salgado
Iconographie : Anne Mensior
Mise en pages : Sophie de Vilmorin
Conception graphique et édition : Sophie Godefroy

ISBN 209-035381-3
© CLE International, 2005

INTRODUCTION

Le Cadre européen commun de référence pour les langues (CECRL) occupe aujourd'hui une place prépondérante dans l'enseignement-apprentissage des langues.

Prolongement naturel des approches communicatives, il se situe dans une perspective actionnelle qui « considère l'usager et l'apprenant d'une langue comme des acteurs sociaux ayant à accomplir des tâches dans des circonstances et un environnement donnés[1] ».

Organisé en six niveaux qui vont de la découverte à la maîtrise de la langue-culture, le CECRL établit une progression plus réaliste et plus précise que l'habituelle distinction entre élémentaire, intermédiaire et avancé. Le niveau **A2** est dit « de survie ». À ce niveau, l'apprenant doit être capable, dans des situations de la vie quotidienne, d'interagir avec une certaine autonomie. L'aider à développer celle-ci, tel est l'objectif de cet ouvrage.

Conçu comme un ensemble d'activités et non comme un manuel d'apprentissage de la langue, il s'organise en deux parties : l'une consacrée à l'oral, l'autre à l'écrit. Dans chacune d'elles, soulignées par des couleurs différentes, les trois aptitudes de réception, production, interaction sont abordées successivement. Cependant, elles sont liées et s'enrichissent mutuellement.

Les activités proposées suivent de près les compétences répertoriées dans le Cadre. Elles mettent en œuvre et développent, de façon implicite ou explicitée dans des encadrés matérialisés par le signe ⊚, des stratégies destinées à faciliter la communication. Pour la production et l'interaction, il s'agit souvent d'activités ouvertes mais guidées par des canevas, facilitées par l'apport de conseils et d'outils. S'il travaille en autonomie, l'apprenant peut à tout moment, confronter ses propres productions aux propositions contenues dans les enregistrements ou dans les corrigés. Les variantes présentes dans ces derniers lui permettent également de développer et d'enrichir son expression.

Destiné à de grands adolescents ou adultes, cet ouvrage peut être utilisé seul ou en complément de manuels actuellement disponibles, compatibles avec les orientations du Cadre européen commun de référence pour les langues.

Les auteures

---

[1] *CECRL*, Didier, page 15.

SOMMAIRE GÉNÉRAL

ORAL

ÉCRIT

ORAL - SOMMAIRE

Lors de l'apprentissage d'une langue, en situation de communication, nous utilisons diverses stratégies pour comprendre, nous exprimer ou encore interagir le mieux possible, à l'oral comme à l'écrit.

En situation de réception orale, il est très important de bien comprendre la situation dans laquelle on se trouve pour se faire une idée de ce qu'on va entendre et pour anticiper sur le contenu du message. La connaissance de la situation et ces hypothèses nous aident ensuite à ne pas perdre le fil, même si on ne comprend pas tout. Elles nous permettent aussi de deviner le sens de certains mots.

En situation d'apprentissage de cette compétence, il faut :
– bien lire la consigne qui précise la situation et fixe un objectif à l'écoute,
– s'entraîner à deviner ce qu'on ne connaît pas à partir de ce qu'on connaît déjà.

Dans les activités suivantes, ☺ vous suggère une démarche pour développer ces stratégies.

1. COMPRÉHENSION GÉNÉRALE

■ 1. INTONATION, PONCTUATION ET COMPRÉHENSION ■

☺ Deux phrases avec les mêmes phonèmes, c'est-à-dire avec les mêmes sons, peuvent avoir des sens différents.
☺ Des intonations différentes traduisent des sens différents.

1 Observez les phrases ci-dessous et leur ponctuation.
Écoutez attentivement.
Quelle ponctuation correspond à chaque intonation ?
Notez, dans les parenthèses, le numéro de la phrase entendue.
Ex. Écoutez.
Vous entendez : « Tu manges tout ? Le fromage et le dessert, non ? »
C'est la phrase d.

a. Tu manges tout. Le fromage et le dessert, non.   (......)
b. Tu manges tout ! Le fromage et le dessert, non !   (......)
c. Tu manges tout le fromage et le dessert, non ?   (......)
d. Tu manges tout ? Le fromage et le dessert, non ?   (Ex.)
e. Tu manges tout le fromage ! Et le dessert ? Non ?   (......)

2 Observez les couples de phrases proposés.

⚠ Attention à la ponctuation !

Écoutez attentivement.

Dans chaque cas, indiquez : – quelle est la première phrase entendue,
– quelle est la deuxième phrase entendue.

Ex. Vous lisez : « Et les gants, non ? / Élégant, non ? »
Vous écoutez et vous notez : « Et les gants, non ? [2] / Élégant, non ? [1] »

a. Vous lacez vos chaussures ? (......)
Vous, là, c'est vos chaussures ? (......)

c. Eh ! Pas tant ! (......)
Épatant ! (......)

b. Il a tant de beaux cadeaux à Noël ! (......)
Il attend de beaux cadeaux à Noël. (......)

d. Il a dit : « C'est en mai ». (......)
Il a dix-sept ans, mais... (......)

e. Voilà, c'est cette amie qui travaille avec moi. (......)
Voilà ses sept amis qui travaillent avec moi. (......)

3 Observez le texte ci-dessous.

ma maison est celle-ci à droite tout près il y a une église avec sa place devant le supermarché
est à deux pas de chez nous au loin on voit la mer j'aime bien ce quartier

a) Écoutez.

⚠ Attention aux pauses marquées par le locuteur !

Récrivez le texte une seconde fois. Ponctuez-le. Utilisez le point (.), la virgule (,) le point d'exclamation (!).

⚠ Attention, n'oubliez pas les majuscules !

_____

_____

_____

b) Écoutez de nouveau.

⚠ Attention aux pauses marquées par le locuteur !

Récrivez ce texte une seconde fois. Ponctuez-le. Utilisez le point (.), la virgule (,) et le point d'exclamation (!).

⚠ Attention, n'oubliez pas les majuscules !

_____

_____

_____

c) À quel texte ponctué correspond chaque dessin ?

_____   _____

4 Observez les phrases ci-dessous.

> Vous connaissez bien le sens de ces expressions ? Sinon, vérifiez dans un dictionnaire.

Écoutez.
Si l'intonation correspond au sens des mots, cochez « oui », sinon, cochez « non ».

Ex. 1 : C'est formidable !   oui ☒   non ☐
Ex. 2 : Ah bravo !   oui ☐   non ☒

1. C'est chouette !   oui ☐ non ☐
2. Délicieux, ça !   oui ☐ non ☐
3. Quel plaisir !   oui ☐ non ☐
4. Certainement !   oui ☐ non ☐
5. J'adore ça !   oui ☐ non ☐

6. C'est du beau travail ! ! oui ☐ non ☐
7. C'est gai !   oui ☐ non ☐
8. Ah, c'est bien !   oui ☐ non ☐
9. Je suis désolé !   oui ☐ non ☐
10. Eh ben, ça change !   oui ☐ non ☐

5 À la cantine, des personnes regardent un plat de frites.
Elles n'ont pas les mêmes réactions.
Quel sentiment ou attitude expriment-elles ?
Écoutez.
Cochez.

	Ex.	1	2	3	4	5	6
une demande	✗						
la surprise							
la colère, l'irritation							
une offre							
la lassitude							
la joie, l'enthousiasme							
le doute							

6 Votre ami français vous montre une photo de sa famille.
Il vous présente tout le monde.

Qu'allez-vous entendre ? Des prénoms ? Des termes de parenté ?
Des indications de localisation sur la photo ? D'autres choses ?

Écoutez.

Complétez le tableau.

	Il / Elle s'appelle... (prénom)	Il / Elle a... (âge)	Il / Elle est... (profession)
Son grand-père paternel			
Sa grand-mère paternelle			
Sa grand-mère maternelle			
Son père			
Sa mère			
Sa sœur			
Son oncle			
Sa tante			
Son cousin			
Sa cousine			

7 En France, comme dans la plupart des pays, le choix des prénoms obéit à la mode.
En 2003, par exemple, les prénoms les plus fréquents étaient :
- pour les filles : Léa, Manon, Emma, Chloé, Camille, Océane, Clara, Marie, Sarah, Inès,
- pour les garçons : Lucas, Théo, Thomas, Hugo, Maxime, Enzo, Antoine, Clément, Alexandre, Quentin.

Certains prénoms résistent toutefois aux modes. C'est le cas de Marie, pour les filles, et de Jean, pour les garçons.

En Normandie, une radio locale annonce les premières naissances de l'année 2005.

Écoutez.

Complétez le tableau.

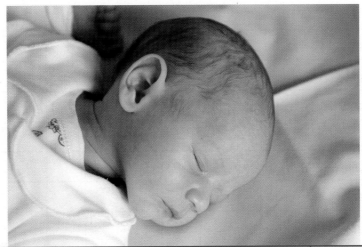

	Le premier bébé	Le deuxième bébé	Le troisième bébé
est né à	O H 54	.... h	.... h ....
est	une fille [X] un garçon [ ]	une fille [ ] un garçon [ ]	une fille [ ] un garçon [ ]
s'appelle	. . . .	. . . .	. . . .
pèse	.... kg	.... kg	3 kg 955
Son père	s'appelle . . . . Dassas. a . . . . ans. est	s'appelle . . . . Dieutre. a 29 ans. est	s'appelle . . . . Dominiczak. a . . . . ans. est . . . . D'ÉTAT À LA MONNAIE DE PARIS.
Sa mère	s'appelle . . . . Dassas. a . . . . ans. est	s'appelle . . . . Dieutre. a . . . . ans. est TOILETTEUSE POUR CHIENS.	s'appelle . . . . Motte. a . . . . ans. est . . . .

■ 3. ACHATS ■

8 Christine a fait différents achats.
Dans quel magasin a-t-elle entendu ces questions?

> Observez les noms des magasins. Quels produits y achète-t-on ?

Écoutez et cochez la réponse dans le tableau ci-dessous.

Ex. Vous entendez : « Ils sont du jour. Vous en voulez une douzaine ? »
    Vous cochez : À la crémerie.

	Ex.	1	2	3	4	5	6	7	8	9
À la pharmacie										
À la charcuterie										
Dans un magasin de vêtements										
À la boucherie										
Dans un magasin de chaussures										
À la crèmerie	X									
Chez le marchand de fruits et légumes										
À la pâtisserie										
À la poissonnerie										
À la boulangerie										

9 Comme chaque semaine, Madame Séchaud téléphone à son supermarché.
Elle passe une commande.
Le supermarché livre les articles chez elle.

Observez la liste habituelle de Madame Séchaud.
Écoutez.
Sur la liste : – barrez ce qu'elle ne commande pas cette semaine,
– notez les quantités des articles commandés.

Attention, les produits ont des emballages différents : à votre avis, est-ce qu'on peut acheter une bouteille de petits pois ?

Pour vous aider, observez ces mots et leur illustration :

 un baril

 une boîte

 une bouteille

 une brique

 un filet

 un pack

 un paquet

 un pot

 une tablette

 un tube

- Eau minérale : dix bouteilles
- Jus de fruits : ....
- Vin : ....
- Lait : ....
- Huile : ....
- Légumes :
    - Pommes de terre ....
    - Carottes ....
- Fruits :
    - Pommes ....
    - Oranges ....

- Conserves :
- Petits pois : ....
- Haricots verts : ....
- Farine : ....
- Sucre : ....
- Confiture : ....
- Beurre : ....
- Chocolat : ....
- Mayonnaise : ....
- Lessive : ....
- Essuie-tout : ....

10 Vous voyagez souvent à l'étranger ?
Vous ne connaissez pas votre taille de vêtements dans les autres pays ?

Alors, écoutez cette chronique radiophonique.
Observez et complétez le tableau ci-dessous.

Espagne / France	Allemagne	Royaume-Uni	Italie	Pays-Bas	États-Unis	Tailles internationales
36						XXS
38						XS
40						S
42						SM
44						M
46						ML
48						L
50						LXL
52						XL

11 Comme tous les jours à 18 heures, Jacques écoute le jeu « Qui ? Quoi ? Où ? ».

Il faut deviner le nom d'une personne, d'un objet ou d'un lieu.

Il faut aussi répondre à quelques questions. Aujourd'hui, il faut deviner le nom d'une ville.

Observez la carte ci-dessous.

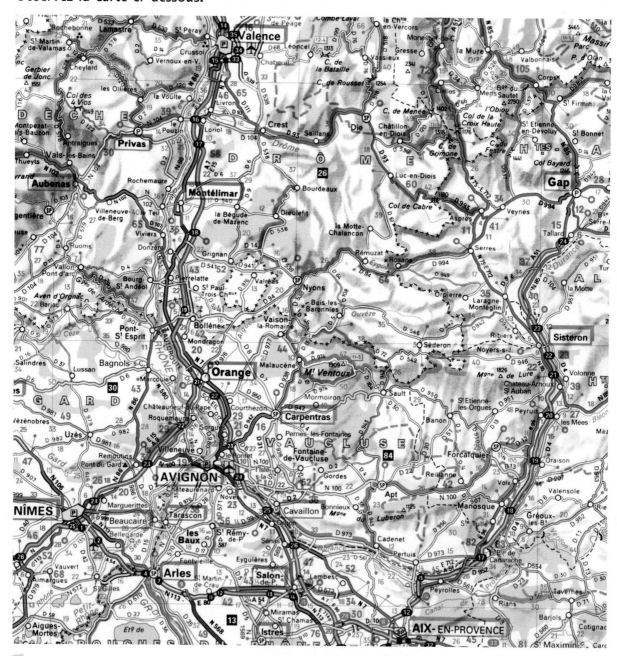

Qu'allez-vous entendre ? Des indications de lieux ? Des produits caractéristiques ? Autre chose ?

Écoutez.

Quel est le nom de cette ville ? _____

Cochez les réponses exactes :

1. Où se trouve cette ville ? a) À 50 km de Nîmes. ☐
b) À 70 km d'Avignon. ☒
c) À 70 km de Montélimar. ☐

2. Où est-elle située ? a) Au sud de Gap. ☐
b) À l'est de Digne. ☐
c) À l'ouest de Gap. ☒

3. Pour quel(s) produit(s) est-elle connue ? a) Ses olives et son huile. ☐
b) Ses calissons. ☐
c) Son nougat. ☐

4. Quelle est sa population ? a) 16 000 habitants. ☐
b) 7 000 habitants. ☒
c) 17 000 habitants. ☐

5. Quel est son climat ? a) Ensoleillé toute l'année. ☒
b) De type continental. ☐
c) Marqué par la présence du mistral. ☐

6. Cette ville est traversée par : a) l'Elbe. ☐
b) l'Aygues. ☒
c) le Rhône ☐

12 Connaissez-vous la géographie de l'Europe ?
Vérifiez-le avec ces quelques devinettes.
Écoutez.
Cochez les réponses exactes.

A. 1. Qui suis-je ? a) La chaîne des Pyrénées. ☐
b) La chaîne des Alpes. ☐
c) La chaîne des Vosges. ☐

2. Je traverse combien de pays ? a) 3 ☐
b) 4 ☐
c) 5 ☐

3. Mon sommet est à : a) 4 870 m ☐
b) 4 866 m ☐
c) 4 810 m ☐

4. Trois fleuves naissent chez moi : a) la Seine, le Rhône et le Pô. ☐
b) le Pô, le Rhin et le Rhône. ☐
c) le Rhin, le Danube et le Pô. ☐

B. 1. Qui suis-je ? a) Le Rhin. ☐
  b) Le Rhône. ☐
  c) Le Danube. ☐

  2. Ma longueur est de : a) 2 858 km. ☒
  b) 2 868 km. ☐
  c) 2 158 km. ☐

  3. Je suis associé à deux couleurs : a) le noir et le rouge. ☐
  b) le bleu et le jaune. ☐
  c) le noir et le bleu. ☒

  4. J'arrose quatre capitales : a) Paris, Vienne, Bratislava et Belgrade. ☐
  b) Belgrade, Budapest, Bratislava et Vienne. ☒
  c) Bucarest, Budapest, Bratislava et Vienne. ☐

C. 1. Qui suis-je ? a) Le lac Léman. ☒
  b) Le lac Balaton. ☐
  c) Le lac de Constance. ☐

  2. Je suis traversé par : a) le Rhin. ☐
  b) le Rhône. ☒
  c) le Danube. ☐

  3. Je suis bordé par : a) la Suisse et l'Italie. ☐
  b) la Suisse et l'Autriche. ☐
  c) la Suisse et la France. ☒

  4. Mes dimensions (*longueur, largeur, profondeur*) sont : a) 92,3 km ; 13,8 km ; 310 m. ☐
  b) 72,3 km ; 13,8 km ; 310 m. ☐
  c) 62,3 km ; 3,8 km ; 310 m. ☐

2 ■ COMPRENDRE UNE INTERACTION ENTRE LOCUTEURS NATIFS

13

Dans la rue, dans des lieux publics, vous entendez quelques phrases. **Écoutez.**
Quel est le sujet des conversations entendues ?

 Un mot, une expression sont généralement suffisants pour deviner !

Cochez la réponse dans le tableau ci-dessous.

Ex. Vous entendez : « Quand c'est bien doré, tu ajoutes un demi-verre de vin blanc. »
Vous cochez : une recette de cuisine.

	Ex.	1	2	3	4	5	6	7	8
une future naissance				X					
une maison							X		
une recette de cuisine	X								
les vacances									X
les résultats d'un examen		X							
un enfant						X			
un mariage								X	
un malade hospitalisé			X						
un film					X				

14 Vous entendez partiellement un échange entre deux personnes.
Vous entendez la première personne.
Vous voyez la deuxième mais vous ne pouvez pas entendre sa réaction.
À votre avis, que dit-elle ?

a) Observez les dessins.
Lisez à la page suivante les réponses proposées. ⚠ Attention à la ponctuation !
Écoutez.

 Écoutez attentivement ce qui est dit : c'est ce qui provoque la réaction, la mimique de l'interlocuteur.

A

B

C

D   E   F

1. C'est formidable !
2. Non, excuse-moi
3. Ben, non !
4. Pas maintenant...
5. C'est possible ?
6. Chouette !

7. Cette fois, ça suffit !
8. Toujours pas !
9. Vraiment ?
10. C'est incroyable !
11. Tu crois ?
12. Pas possible !

13. Je regrette...
14. Rien à faire !
15. Ah non ! Encore !
16. Parfait !
17. Tu exagères !
18. Ah, tant mieux !

b) Quelles sont les réponses possibles pour chaque situation ?
Complétez le tableau.

Dessins	A	B	C	D	E	F
Propositions	17	3	1	12 13	2	6

15

Pour des raisons techniques, votre train part avec une heure de retard.
Pendant l'attente, la plupart des passagers téléphonent pour prévenir de leur retard.
Qui appellent-ils ?
Écoutez.
Associez chaque appel à une personne.

> Le ton plus ou moins familier donne une première indication sur la situation. Et puis, il y a des mots-clés… Essayez de les repérer !

Ex. Écoutez l'exemple.
  Vous cochez son mari.

La personne appelle :	Ex.	1	2	3	4	5	6	7	8
un hôtel									
son fils									
son mari	✗								
un restaurant									
un collègue de travail									
sa femme									
un(e) ami(e)									
son chef de service									
un camarade de sport									

3 ▪ COMPRENDRE EN TANT QU'AUDITEUR

16 Les fêtes régionales sont souvent très anciennes.
C'est le cas de la fête de l'ours en Catalogne.
Écoutez ce reportage radiophonique.

a) Soulignez les mots entendus.

1. Les ours portent : des pantalons - des peaux de mouton - des bonnets - des bottes.

2. Sur leur visage, ils passent : du vin rouge - du maquillage - de l'huile - du sang de bœuf - du noir de fumée - de la farine.

3. Les barbiers portent : de grandes chemises blanches - un chapeau noir - un bonnet de nuit - un bâton - des chaînes - des fusils - des pots de vin.

b) Remettez dans l'ordre les étapes de la fête.

a) Les barbiers apparaissent.
b) Les ours se précipitent dans les rues.
c) Les barbiers font prisonniers les ours.
d) Les chasseurs poursuivent les ours.
e) Les barbiers rasent les ours.
f) Une grande danse réunit tout le monde.
g) Les barbiers traînent les ours dans les rues.
h) Les ours bousculent et embrassent tout le monde.
i) Les barbiers se battent avec les ours.

Ex. 1. b - **2.** ... - **3.** ... - **4.** ... - **5.** ... - **6.** ... - **7.** ... - **8.** ... - **9.** ...

17 Connaissez vous le viaduc de Millau ?
Écoutez sa présentation sur une radio locale.

> Quand on présente une nouvelle construction, de quoi parle-t-on ?
> De son rôle, de son originalité, de ses dimensions ? De quoi d'autre ?

a) Cochez les réponses exactes.

1. La première pierre a été posée :
   a) le 13 décembre 2001. ☐
   b) le 14 décembre 2000. ☐
   c) le 14 décembre 2001. ☐

2. L'architecte du viaduc est :
   a) français. ☐
   b) britannique. ☐
   c) allemand. ☐

3. Le viaduc sera ouvert :
   a) de jour et de nuit. ☐
   b) fermera à 24 heures. ☐
   c) s'il n'y a pas du tout de vent. ☐

4. Le péage sera de :
   a) 6,50 € en été et de 4,90 € le reste de l'année. ☐
   b) 4,90 € en été et de 6,50 € le reste de l'année. ☐
   c) 4,50 € en été et de 6,90 € le reste de l'année. ☐

5. Sur le trajet Clermont-Montpellier, on gagnera :
   a) 3 h 30. ☐
   b) 2 h 45. ☐
   c) 45 minutes. ☐

b) Soulignez les chiffres exacts.

La longueur du viaduc est de : 2 470 m - 2 360 m - 2 460 m

La largeur du viaduc est de : 32 m - 42 m - 22 m

La plus haute pile mesure : 345 m - 245 m - 247 m

Sa hauteur totale est de : 270 m - 343 m - 342 m

18 En automne 2004, vous écoutez la radio.

Une annonce retient votre attention.
Il s'agit d'un concours en relation avec la Semaine de la francophonie qui se déroule chaque année en mars.

> À quoi vous fait penser le mot « francophonie » ? À des pays de langue française ?
> À des gens qui parlent français ?
> Il s'agit d'un concours : quelles informations attendez-vous ?

Écoutez.

a) Dites si ces affirmations sont vraies (V) ou fausses (F).

	Vrai	Faux
1. Ce concours est ouvert à tout le monde.	○	○
2. Le concours a lieu du 1er janvier au 20 mars à minuit.	○	○
3. Il s'agit de rédiger un texte en 25 lignes maximum.	○	○
4. Le thème du concours est un voyage fantastique.	○	○

b) Cochez les dix mots du concours.

☐ ondelette   ☐ difficulté   ☐ complexité   ☐ moteur

☐ vaguelette   ☐ variation   ☐ hélice   ☐ cristal

☐ verre   ☐ miroir   ☐ rayonnement   ☐ image

☐ désencombrement   ☐ lumière   ☐ icône   ☐ changement

☐ élémentaire   ☐ glace   ☐ désenchevêtrement   ☐ primaire

c) Notez les adresses où envoyer le texte.

1. ....@free. fr

2. _____

_____

_____

19 Les radios proposent souvent à leurs auditeurs de participer à des émissions.

Écoutez. Complétez le tableau ci-dessous.

À quel type d'émission correspond chaque annonce?

Cochez la réponse exacte.

Quel est son sujet? Quelles sont les conditions pour y participer?

Complétez les réponses.

Annonce	Type d'émission				Sujet de l'émission	Conditions
	Magazine	Débat politique	Jeu	Variétés		
n° 1					Rencontrer . . . . pour	Avoir entre . . . . ans Écrire . . . . Adresse : Pop Radio, ... rue Pasteur, Boîte postale . . . . , 75008 Paris.
n° 2					L'entrée de . . . . dans	Envoyer . . . . ainsi que ses . . . . à la . . . .
n° 3					Jeu	Avoir . . . . ans et . . . . dès . . . . le . . . . dans les studios de l'antenne régionale de . . . . , quai . . . .
n° 4					Les familles	Être . . . . et élever . . . . Contacter . . . . par téléphone . . . . ou par courriel à cestmavie@radio-in.com avant le . . . .

20 Bruno se trouve dans le magasin de la FNAC Part-Dieu à Lyon.
Il aime beaucoup lire, surtout des BD.
Il a entendu l'annonce des futures manifestations du magasin.
Il a pris quelques notes mais elles ne sont pas complètes.

Écoutez.

Complétez les notes de Bruno.

Ex. Vous entendez : « Aujourd'hui 27 janvier à 17 h 30... ».
      Vous notez : 17 h 30.

Date	Heure	Type de manifestation - Renseignements
27 janvier 2005	17 H 30	Rencontre-dédicace Térésa Élias : « Ose »
. . . .	de 15 h à 18 h	. . . . de Serge Annequin et Jean-Luc Jullian : « La mallette à Lékoum » - « Chandel . . . . »
11 février 2005	17 h 30	. . . . « Le dessin de BD, ... ? » Inscriptions à l'accueil du magasin.
12 février 2005	. . . .	Rencontre-dédicace Isabelle Nazare-Aga : « . . . . ? »
du 10 février au 2005		. . . . à l'Institut d'art contemporain de Villeurbanne - Retirer les entrées à . . . .

21 Dans le train, les annonces sont fréquentes.
Observez le tableau ci-après.
Écoutez.
Indiquez : – à quel moment d'un voyage elles correspondent,
            – quelle est l'information donnée aux voyageurs.

L'annonce	est faite			Les voyageurs
	au départ	pendant le voyage	à l'arrivée	
EXEMPLE		✗		peuvent prendre une correspondance pour Cosne-sur-Loire.
1				doivent s'assurer . . . .
2				peuvent acheter . . . .
3				sont avertis de . . . .
4				sont priés de . . . .
5				sont informés de . . . .

■ 2. COMPRENDRE DES INSTRUCTIONS ■

22 Écoutez.
Complétez les deux lignes de carreaux ci-dessous.

Où peut-on lire ces mots ?

23 Observez la suite de lettres ci-dessous.

Q M L Y A B D I G S U P K A V R C I X T F I Z O H N J W
Écoutez.

Barrez les lettres indiquées.

Les consignes se réfèrent à l'ordre des lettres dans l'alphabet.

Ex. Vous entendez : « Barrez la lettre entre le L et le N. » Vous barrez la lettre M.
Les lettres non barrées forment le titre d'un roman de Georges Perec.

Quel est ce titre ?

Recopiez-le. _____

La lettre absente de ce jeu est totalement absente dans le livre de Georges Perec.

Quelle est cette lettre ? _____

24 Vous voulez faire du Qi Gong ?

〈〈 C'est une gymnastique chinoise très ancienne. Elle se développe beaucoup en Europe.
〈〈 Le Qi Gong des muscles et des tendons, par exemple, se compose de huit exercices.
〈〈 Chaque exercice a un nom particulier.

À chaque exercice correspond une série de dessins.

Observez les dessins des quatre exercices.
Écoutez.
À quelle série de dessins correspond chaque exercice ?

Il s'agit d'exercices de gymnastique. Vous allez entendre des noms qui désignent des parties du corps (la tête, l'épaule…) et des verbes qui indiquent des mouvements (levez, baissez…).

1. Le cou et la nuque se renforcent. **2.** Pousser la montagne derrière la tête.
3. Le rhinocéros regarde la lune. **4.** Chasser la poussière des bottes.

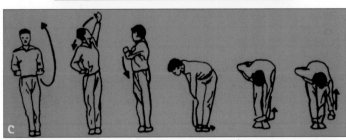

1 – .... 2 – .... 3 – .... 4 – ....

25 Madame Leclerc va faire une cure thermale à Amélie-les-Bains, dans le sud de la France. Elle a loué un appartement.
La veille de son départ, elle téléphone à l'agence.
Observez le plan ci-dessous.

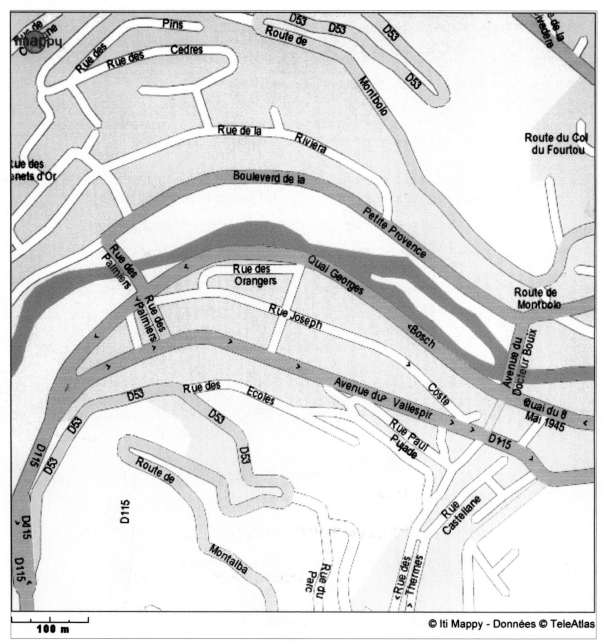

© Iti Mappy - Données © TeleAtlas

Écoutez.

Quel est le code d'ouverture de la boîte à clés ? : _____

Indiquez sur le plan :
   – où se trouve l'agence,
   – l'itinéraire pour aller à l'appartement.

En situation de production orale, on est appelé par exemple à présenter, décrire, donner son opinion, informer, dans un cadre amical ou professionnel ou encore pour un examen. Il faut donc adapter son « discours » à son public, tenir compte des circonstances et éventuellement du temps de parole que l'on a. Ce n'est pas toujours facile mais il faut oser, ne pas avoir peur, se faire confiance. Les hésitations, les approximations, les erreurs sont normales.

La difficulté est que, souvent, les mots manquent pour dire ce qu'on veut. Mais dans beaucoup de cas, on peut se débrouiller, trouver une autre manière de dire.

En situation d'apprentissage de cette compétence, il faut :
– accepter de prendre la parole même si on pense qu'on n'a rien à dire,
– articuler, parler à voix haute,
– regarder le public : un sourire ou au contraire une grimace, des sourcils froncés, permettent de vérifier que le message est bien passé ou pas,
– s'entraîner à utiliser certains moyens pour ne pas rester muet, « bloqué » : remplacer le mot qu'on ne trouve pas par un autre qui a à peu près le même sens, faire une phrase pour expliquer, utiliser une comparaison*,
– prévoir, préparer ce qu'on va dire*,
– organiser ses idées, décider dans quel ordre on va les présenter*,
– apprendre des expressions souvent utilisées dans la langue étrangère pour présenter, décrire, donner son opinion, informer*.

* Les activités qui suivent et les conseils suggérés dans les encadrés Ⓖ vous aident à développer ces stratégies.

1. MONOLOGUE SUIVI

■ 1. DÉCRIRE SON ENVIRONNEMENT QUOTIDIEN - Les gens ■

26 Marine, fille cadette d'Éric et de Sylvie, se présente et présente sa famille.

> Elle indique son lien de parenté avec chacun des membres de sa famille : *c'est mon père ; Alain, c'est mon oncle…* Elle donne au moins un trait caractéristique :
> • physique : *il est petit, elle a les cheveux blonds…*
> • âge : *il est un peu plus jeune qu'elle…*
> • habillement : *il est toujours en jeans, elle est très classique…*
> • habitudes : *elle est souvent en retard…*
> • goûts : *il adore les films policiers…*
> • profession ou occupation : *il était instituteur, elle est au Cours Préparatoire…*
> • trait de caractère, comportement qu'elle aime ou qu'elle n'aime pas : *il est cool, elle m'agace, elle veut toujours avoir raison, je l'adore parce qu'il me fait rire…*

Imaginez ce qu'elle dit.

Théophile DUBOIS
1930-2002
Instituteur

Marie DUBOIS
1935
Institutrice

Fernand MARTIN
1935
Hôtelier

Perrine MARTIN
1940-1990*
Monitrice de ski

Éric
28/10/1955
Professeur de musique

Sylvie
15/02/1960
Illustratrice de livres pour enfants

Alain
1962
Kiné

Romain
18 ans
Terminale L

Marine
15 ans
3ᵉ

Chloé
6 ans
CP

* Perrine Martin est morte l'année
de la naissance de Marine dans
un accident de voiture.

27 Observez le document ci-contre.
Qui est papy Jean-Jacques ?
De quel type de grand-père s'agit-il ?
Quel style de vie aime-t-il ?
Quel est son loisir préféré ? Pourquoi ?
Le pratique-t-il depuis longtemps ?
À votre avis, qu'est-ce qu'il n'aime pas
faire ?

Présentez papy Jean-Jacques.
Sur ce modèle, présentez quelqu'un de
votre famille ou un(e) ami(e) proche.

Pour indiquer qu'une personne aime faire
quelque chose, vous pouvez dire : *il/elle
adore (faire), il/elle est passionné(e) de,
il/elle est fou (folle) de...*
Pour indiquer qu'une personne n'aime pas
faire quelque chose, vous pouvez dire :
*il/elle n'aime pas (faire), il/elle déteste
(faire), il/elle a horreur de...*

Il existe une vie active après la vie active

Les habits du dimanche de mon papy Jean-Jacques

28

À votre arrivée en France, vous avez loué le studio du deuxième étage.

Vous présentez les occupants de votre immeuble.

Vous pouvez dire, par exemple : *En haut, à gauche, il y a un étudiant. Il est grand, il porte des lunettes, il est très sympa. Il travaille beaucoup, je crois. Il aime la musique, surtout le rap. Parfois, je l'entends d'ici, sa musique !*

À vous maintenant ! Présentez les autres voisins.

29 Avez-vous des voisins?

Présentez-les!

Pour vous aider, vous pouvez suivre le plan suivant :

1. Situez-les.

Où habitent-ils par rapport à vous?

Si vous habitez dans un immeuble → À quel étage?

Si vous habitez dans une maison, dans une résidence → À droite? À gauche? En face? Derrière?

2. Caractérisez-les.

Il s'agit d'une famille? De combien de personnes?

Il s'agit d'une personne seule? D'un homme? D'une femme?

3. Pouvez-vous les décrire?

Ils sont petits? grands?

Ils sont jeunes? âgés?

Ils ont l'air sportif?

Ils portent des vêtements à la mode?

Ils sont sympathiques? gentils? souriants? bruyants? discrets? polis?

4. Que savez-vous d'eux?

Ils travaillent?

Ils sortent beaucoup?

Ils ont une voiture? une bicyclette?

Ils ont un animal domestique? quel animal?

5. Que faites-vous avec eux?

Jouez-vous? À quoi?

Parlez-vous? De quoi? Quand? Où?

Dînez-vous? À quelle(s) occasion(s)?

Allez-vous au cinéma?

Participez-vous à des fêtes?

Vous ne les rencontrez jamais. Pourquoi?

30 Vous travaillez dans le bureau illustré page 31. **Présentez vos collègues.**

Vous pouvez :

• les décrire physiquement : *elle est plutôt rousse, il est toujours en costume-cravate…*

• parler de leur caractère : *il/elle est débordé(e), décontracté(e), sérieux (se), concentré(e), serviable, sympathique, de bonne humeur, de mauvaise humeur.* Vous pouvez nuancer avec des mots comme : *toujours, souvent, jamais…*

• parler de leur activité et utiliser des verbes : *ne pas arrêter de, bavarder, décrocher, raccrocher, discuter, travailler, faire des photocopies, aider, répondre…*

• les situer dans le bureau : *derrière, à côté de, devant, près de, en face de…*

31 QUE SONT-ILS DEVENUS ?

C'était le jour de vos six ans. La petite fille tout à gauche sur la photo, c'est vous.

a) Vous évoquez vos amis réunis autour de vous ce jour-là et vous en présentez un/une.

b) Présentez maintenant un(e) de vos propres d'ami(e)s d'enfance ou de classe.

♦ Pour parler de quelqu'un, dans ce type de situation, vous indiquez d'abord :

• son prénom et éventuellement son nom : *lui, c'est Bruno ; elle, c'est Sophie Chapelier...*
• un trait de caractère qui vous a marqué(e) : *il racontait toujours des blagues, elle chantait très bien, il était très timide...*

♦ Vous êtes resté(e) en contact, vous pouvez poursuivre et indiquer :
• son parcours scolaire et/ou universitaire : *elle est entrée à HEC, il a fait des études de droit…*
• sa profession actuelle : *il a ouvert une boutique d'artisanat, elle est vétérinaire…*
• s'il/si elle est resté(e) dans la même ville ou pas : *il est parti au Canada, elle est toujours dans la région…*
• sa situation familiale : *marié(e), célibataire, il/elle a des enfants*
♦ Vous ne connaissez pas sa situation actuelle, vous pouvez dire : *je ne l'ai jamais plus revu(e), je ne l'ai pas revu(e) depuis le bac, je ne sais pas où il/elle est maintenant…*

32 ▶ Sɪᴛᴜᴀᴛɪᴏɴ **1** ◀

Vous partez à Ljubljana où vous devez être accueillie par un collègue slovène.
Deux jours avant votre départ, il laisse un message sur votre répondeur téléphonique.

Écoutez.
a) Cochez les éléments entendus.

Taille ☐	Détail vestimentaire ☐	Couleur des cheveux ☐
Style de coiffure ☐	Signe physique particulier ☐	Âge ☐

b) Qui est Monsieur Laguna ?

▶ Sɪᴛᴜᴀᴛɪᴏɴ **2** ◀

Vous avez réservé un hôtel à Serre-Chevalier pour les vacances de printemps.
L'hôtelier qui viendra vous chercher à la gare de Briançon ne vous connaît pas.

Décrivez-vous au téléphone.

Pour décrire une personne, dans ce type de situations, vous indiquez :
• sa taille et son allure générale : *petit(e), grand(e), de taille moyenne ; mince, rond(e)/fort(e)/ corpulent(e).* On utilise peu *gros(se).*
Vous pouvez préciser avec *assez/plutôt/très* : *elle est plutôt mince, il est assez fort.*
• sa couleur de cheveux et éventuellement sa coiffure : *il est blond, elle a les cheveux très courts…*
• son âge approximatif : *elle est jeune, il a une quarantaine d'années…*
• une caractéristique éventuelle : *elle porte des lunettes/il a une moustache…*
• si vous le savez, les vêtements qu'il/elle portera : *elle aura un manteau rouge, il portera une veste beige…*
• un objet distinctif : *il aura un sac à dos…*

■ DÉCRIRE SON ENVIRONNEMENT QUOTIDIEN - Les lieux ■

33 Vous souhaitez passer vos prochaines vacances d'été dans les Cévennes.
Vous avez contacté une agence immobilière d'Alès. Vous recevez cette photo et ce plan.
Vous devez réserver rapidement. Votre mari n'est pas là. Vous lui téléphonez pour avoir son avis.

Vous lui décrivez la maison. ⚠ N'oubliez pas le petit mot de l'agence.

Nous vous envoyons les photos de l'intérieur dès que possible, mais soyez assurés que la maison est entièrement meublée, style campagnard.
La cuisine est équipée.
Tout est prévu pour 6 personnes !
L'agence

Vous pouvez :
- décrire l'environnement de la maison : *Il y a une pelouse, des arbres, des fleurs…*
- décrire la maison de l'extérieur : *Il n'y a pas d'étage, il y a une terrasse, les volets sont bleus…*
- indiquer le nombre de pièces et dire comment elles sont disposées.

a) Décrivez la pièce : les meubles, les objets.

b) Imaginez et décrivez celui ou celle qui l'occupe

c) Décrivez votre chambre.

Vous pouvez :

- situer votre chambre dans la maison ou l'appartement,
- indiquer la taille de la pièce,
- situer, décrire les meubles,
- décrire les objets,
- dire si vous aimez votre chambre et pourquoi,
  ou bien dire ce que vous allez / voulez changer.

27

Montbrun-les-Bains

Dôle

Bruxelles

Yokohama

Portofino

a) Écoutez.

b) Barrez les éléments non entendus.

la superficie - la population - la taille - la fonction - le type d'architecture - le climat -
le niveau de vie des habitants - les spécialités locales - le bruit - la situation géographique -
l'habitat - l'environnement - les activités - la pollution - l'évolution de la ville - le (les)
personnage(s) célèbre(s) qui y est (sont) né(s) - les curiosités - le type de ville - la circulation

c) Présentez votre ville ou votre village.

> Vous pouvez, par exemple, parler de :
> - sa situation : *J'habite au sud, au bord de la mer, ma ville se trouve à l'ouest du pays…*
> - sa taille : *C'est une petite/grande ville, une ville de taille moyenne…*
> - son âge : *C'est une ville très ancienne, c'est une banlieue moderne…*
> - sa population : *Il y a seulement 30 000 habitants, la population est très élevée…*
> - son intérêt : *C'est une ville historique, il y a beaucoup de monuments intéressants,*
> *c'est une petite ville très commerçante…*
> - son architecture : *romane, gothique, baroque, contemporaine ou du XIIe siècle,*
> *du XVIIIe siècle, du XXe siècle…*
> - ses couleurs : *Il fait toujours gris, les maisons sont blanches…*

36 a) Observez ces quatre objets.

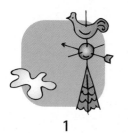

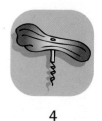

| 1 | 2 | 3 | 4 |

b) Écoutez.

c) De quel objet s'agit-il ? Cochez la bonne case.

Dessin 1 ☐   Dessin 2 ☐   Dessin 3 ☐   Dessin 4 ☐

d) Soulignez les éléments entendus.

la couleur - la forme - la date de création - le prix - l'origine géographique - la matière -
la fonction - la nationalité - les qualités - le lieu de fabrication - le nom de l'inventeur -
le fonctionnement - la comparaison.

e) Choisissez un des objets ci-dessous. Décrivez-le.

| A | B | C | D | E |

| F | G | H | I | J |

Vous pouvez dire, par exemple :

- *C'est un appareil qui sert à…, c'est un objet pour…*
- *C'est un appareil indispensable, électrique…*
- *C'est un objet en bois, en plastique…*
- *C'est un objet minuscule, volumineux,*
- *C'est un objet récent, à la mode, de luxe…*
- *C'est un objet qu'on utilise tous les jours…*
- *C'est comme…, c'est un genre de…, c'est une sorte de…*
- *C'est quelque chose qui sert à…*
- *C'est un truc bleu et blanc, c'est un machin tout noir (français familier)…*

■ 2. PARLER DE SES GOÛTS ■

37 ⟨⟨ Loràni Deutsch est un jeune et brillant comédien de 29 ans. En janvier 2005,
⟨⟨ il a incarné Mozart dans la pièce « Amadeus » de Peter Shaffer, au Théâtre de Paris.

a) Découvrez-le dans cet extrait du *Questionnaire de Proust*.

> INTERVIEW

D.R.

LORANT DEUTSCH, COMÉDIEN

Votre principal trait de caractère ?
> Je suis curieux.

Que détestez-vous ?
> Parler au téléphone.

Vos héros aujourd'hui ?
> Jonathan Zebina, de la Juventus de Turin, un joueur de foot génial qui va exploser très vite, vous allez voir.

Votre occupation préférée ?
> Lire des livres sur Paris, c'est ma grande passion.

Vos peintres favoris ?
> Les Impressionnistes.

Votre film culte ?
> *Itinéraire d'un enfant gâté*, de Claude Lelouch.

D'après « L'Express » du 17/01/2005

b) À vous ! Répondez aux mêmes questions.

c) Vous voulez interroger quelqu'un de votre entourage (ami(e), collègue, parent) sur ses goûts et vous préparez « votre » *Questionnaire de Proust*.

Vous pouvez reprendre les mêmes questions, en poser d'autres.

Ex. Votre prénom féminin préféré ? Votre couleur favorite ? La chanson que vous aimez fredonner ?...

Marcel Proust est un écrivain français né à Paris en 1871 et mort en 1922. Son œuvre la plus célèbre est « À la recherche du temps perdu ».

On appelle le « Questionnaire de Proust » un simple questionnaire de personnalité d'une trentaine de questions. Au XIXᵉ siècle, il y avait une mode importée d'Angleterre parmi les jeunes filles « de bonne famille », c'est-à-dire d'un milieu social aisé. Elles demandaient à leurs proches de répondre par écrit à des questions sur leurs goûts et leurs traits de caractère. Marcel Proust a accepté au moins deux fois de jouer à ce jeu. Aujourd'hui, ce questionnaire est souvent repris par des journalistes de la presse écrite ou télévisée lors d'interviews de personnes célèbres.

Les choses de la vie

TENDANCE

Tant qu'il y aura des hommes

Mythes et archétypes revus par les créateurs. Soit neuf personnages en quête de styles pour incarner le chic de l'hiver 2004-2005 au masculin

Mr Pimp
Entre Kid Creole et les élégants du Far West, clin d'œil de John Galliano.

La passion des couleurs
Le chic tonique de Paul Smith.

Black is back
Le noir du matin au soir chez Hermès.

L'élégant
En beige camel, précieuse nuance qui donne bonne mine. Helmut Lang.

La nostalgie seventies
Les années 1970 revisitées par Yohji Yamamoto.

Le style dandy
Impeccable et signé Yves Saint Laurent.

On the wild side
Look de rock star revu par Hedi Slimane et griffé Dior.

La touche écossaise
Un classique toujours chic. Louis Vuitton.

Sport et ville
Le chic *casual* de Dries van Noten.

Page réalisée par Yasmin Kayser, assistée de Gaël Parravicini

Photos Marcio Madeira - Zeppelin

Vous regardez la page ci-contre « Mode hiver 2004-2005 pour hommes ».
Vous réagissez.

a) Vous êtes un homme.
Quel style aimez-vous ? Pourquoi ?
Quel style détestez-vous ? Pourquoi ?

b) Vous êtes une femme.
Vous donnez aussi votre avis sur les modèles présentés !

Ex.   Pour le mannequin n° 4, vous pouvez dire :
       « Trop classique et puis... encore du noir ! »
       « Le noir pour un homme, c'est toujours chic. »
       « Génial ! Le look, la couleur... j'adore ! »

39

a) Vous **aimez** ça...

*Fauteuil en corian,
de Ron Arad, Grande-Bretagne.*

*Chaise Solid,
de Patrick Jouin, France.*

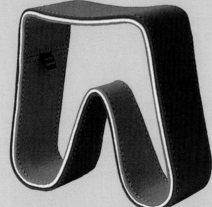

*Tabouret en céramique
Felt Stool,
de Hella Jongerius, Hollande.*

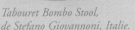
*Tabouret Bombo Stool,
de Stefano Giovannoni, Italie.*

De grands designers européens ont créé ces sièges.
  • Pouvez-vous les décrire ? (Reportez-vous à l'activité 36.)
  • Comment trouvez-vous chacun d'eux ? *Original, beau, étrange, curieux, excentrique, nul, complètement fou...*
  • Pourquoi ? *Sa forme est inhabituelle, géniale ; le matériau est super ; parce qu'il n'est pas fonctionnel, parce que c'est la première fois que je vois un siège comme ça, je ne comprends pas comment on l'utilise...*

b) ... ou vous préférez ça ?

Vous achetez un de ces sièges.
Quel siège choisissez-vous ? Pourquoi ?

Vous pouvez parler de :
- votre perception de l'objet : *Il semble confortable, pratique, peu encombrant...*
- la forme : *arrondie, esthétique, harmonieuse, agréable, élégante...*
- ce qu'il évoque pour vous : *Pour moi, c'est un objet de rêve ; mes grands-parents avaient le même, ça me fait penser à la vie de château...*
- l'endroit que vous lui destinez : *Je vais le mettre dans ma chambre, il fera très bien dans mon salon...*

30

40 À la sortie du cinéma, à propos de « 36, Quai des Orfèvres », film d'Olivier Marchal.

a) Écoutez.

Soulignez les mots entendus.
un polar - la mise en scène - les comédiens - les dialogues - l'histoire - les acteurs - les décors - les images - la musique - les scènes d'extérieur.

b) Donnez vos impressions sur un film ou un téléfilm que vous avez vu récemment.

Pour donner votre avis sur un film, vous pouvez :

• donner une impression générale, positive : *C'est un chef-d'œuvre, c'est un film exceptionnel…*
• donner une impression générale, négative : *C'est un navet, c'est un mauvais film, c'est un film nul…*
• parler du sujet : *Le sujet est original/l'histoire est banale*
• parler des images : *Les images font rêver, c'est une réussite esthétique…*
• parler des dialogues : *pleins d'humour, drôles, émouvants/mal écrits, ternes…*
• parler des acteurs : *Ils sont bouleversants, ils jouent (divinement) bien/ils jouent mal, ils manquent de naturel…*

■ 3. Décrire ses activités quotidiennes, sa formation, son travail ■

41 *En France, au lycée, on distingue deux cycles : le cycle de détermination qui correspond à la classe de Seconde et le cycle terminal qui correspond aux classes de Première et de Terminale.*
A partir de la classe de Première, l'élève a le choix entre 3 séries : la série ES à dominante sciences économiques et sociales, la série L à dominante littéraire, la série S à dominante scientifique.

a) Damien est lycéen, en classe de 1re S. Voici son emploi du temps.

	LUNDI	MARDI	MERCREDI	JEUDI	VENDREDI	SAMEDI
8 h-9 h	Français	SVT		Maths	Vie de classe	Maths
9 h-10 h	Maths			Anglais		
10 h-11 h	ECJS	Français	Français		Physique Chimie	EPS
11 h-12 h		Phys. Chimie A / Hist. Géo B				
12 h-13 h					Espagnol	
13 h-14 h	Italien	Italien		TP SVT A / TP Phys. Chimie B		
14 h-15 h	Histoire Géographie	Maths				
15 h-16 h		Anglais			Musique	
16 h-17 h	Espagnol	EPS				
17 h-18 h						

ECJS = Éducation civique, juridique et sociale
EPS = Éducation physique et sportive
SVT = Sciences de la vie et de la Terre
TP = Travaux pratiques
A = semaine A (une semaine sur deux)
B = semaine B (une semaine sur deux)

Il est passionné par les sciences de la vie et de la Terre et la physique-chimie, beaucoup moins par les langues ou le français. Pour lui, la semaine commence mal !

Présentez son emploi du temps du lundi et du jeudi.

> Vous pouvez dire :
>
> • *le lundi, chaque lundi, tous les lundis…*
> • *le matin, l'après-midi, une semaine sur deux…*
> • *C'est une journée chargée, j'ai un trou de 9 h 00 à 10 h 00…*
> • *Je commence à 10 h 00, je finis tard, je finis à midi…*
> • *Je rentre à…, je sors à…*
> • *J'ai cours de français de 8 h 00 à 9 h 00.*

b) Et vous, quel jour de la semaine préférez-vous ? Que faites-vous ce jour-là ?

42 〈〈 *Créé en 1995, le congé parental d'éducation permet à tout salarié - homme ou*
〈〈 *femme - qui a au moins un an d'ancienneté dans une entreprise de bénéficier*
〈〈 *d'un congé d'un an, éventuellement renouvelable, suite à la naissance ou à*
〈〈 *l'adoption d'un enfant.*

Pierre est ingénieur. Il vient de prendre un congé parental.
Il est marié avec Chantal et père de deux garçons : Matthieu, 5 ans, en grande section de maternelle, et Thomas, 15 mois.
Il raconte d'abord comment se passait habituellement le lundi quand il travaillait.
Il raconte ensuite un lundi de père au foyer.

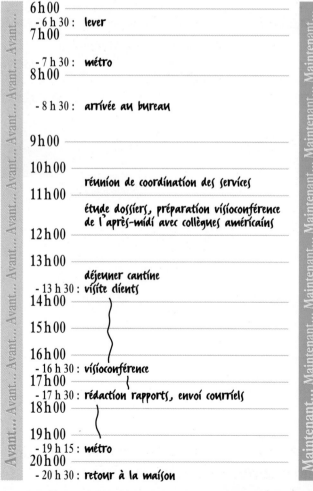

Vous pouvez :

   • utiliser des verbes d'action : *prendre (le métro, le petit-déjeuner),*
   assister à, participer à, faire (la cuisine, le ménage), accompagner,
   aller chercher, lire, jouer, passer la soirée….
   • indiquer les moments de la journée, les heures….

43 Le curriculum vitae (CV) est une sorte de carte de visite.
Il donne des informations sur l'état civil, la formation, l'expérience professionnelle,
les goûts et les aptitudes d'un demandeur d'emploi.
Il accompagne la lettre de motivation.

Curriculum Vitae

Julie LESCAUT
7, cours Brillier
38200 Vienne

Tél. : 04 74 51 83 00
E-mail : doremi@free.fr

FORMATION

◆ **1990-1994** : conservatoire de musique à Paris
(instruments : guitare, piano et chant).

◆ **1986-1989** : cours privés à Versailles.

EXPÉRIENCE PROFESSIONNELLE

◆ **Depuis 2003** : professeur à l'association « La P'tite
Boîte à Musique » à Lyon.

◆ **2002-2003** : professeur au Centre socioculturel
de Blois (préparation des élèves au
concours d'entrée au Conservatoire).

◆ **1998-1999** : professeur au Centre culturel du Mans
(cours particuliers/collectifs ; atelier jazz).

◆ **1995-1998** : cours particuliers à des élèves de
tous âges.

LANGUES

◆ Anglais (parlé et écrit)
◆ Portugais (parlé et compris : séjours au Brésil)

CENTRES D'INTÉRÊT

◆ Rollers ◆ Danse africaine ◆ Improvisation théâtrale

Dans une ambiance associative,
Un enseignement de Qualité

COURS D'EVEIL MUSICAL
à partir de 3 ans

◇ *Les cours sont dispensés par des professeurs*
instrumentistes, méthode utilisée : WILLEMS.

◇ *Découverte du monde sonore et musical par des activités*
ludiques.

◇ *Développement auditif, sensoriel, rythmique et corporel.*
Préparations de chansons.

Le cours se déroule sur 1 heure dont 10 mn pour l'information des
parents sur l'évolution de leur(s) enfant(s).

EVALUATION **GRATUITE**
Par les professeurs début juillet
Durée 30 minutes
Pour en savoir + téléphonez nous au 04 78 39 55 44

La P'tite Boîte à Musique
6 rue de Vauzelles – 69001 LYON
T : 04 78 39 55 44 – F : 04 78 29 08 82
(sur le plateau de la Croix Rousse, à 2 pas de la mairie du 4ème)

Présentez Madame Lescaut.

Vous pouvez utiliser :

• son CV pour parler de sa formation, de son expérience professionnelle, de ses goûts,
• la publicité concernant « La P'tite Boîte à Musique » de Lyon pour parler de son travail actuel.

■ 4. Raconter une histoire, décrire une activité ■

44

Racontez brièvement l'aventure qui est arrivée aujourd'hui à cet automobiliste. Aidez-vous de l'image et du texte.

Pour organiser votre récit, pensez à ces questions :
- À votre avis, qui est-ce ?
- Où est-il ?
- Que fait-il ?
- Que veut-il faire ? Pourquoi ?

45 À partir du document de la page 45, racontez votre journée à bord du Train à Vapeur des Cévennes.

Vous pouvez :
- situer la région à partir de la carte : *c'est au nord de Nîmes, tout près d'Alès…*
- utiliser les verbes : *partir, arriver, s'arrêter, monter, descendre, franchir, passer sous…*
- décrire les lieux, vos activités : *La Bambouseraie existe depuis 1855, c'est la première forêt de bambous géants en Europe, j'ai pique-niqué…*
- imaginer vos sentiments : *j'étais heureux (heureuse), surpris(e), impatient(e), excité(e), fatigué(e)…*
- dire ce que vous avez aimé, ce que vous n'avez pas aimé…

UNE JOURNÉE EN TRAIN À VAPEUR DANS LES CÉVENNES

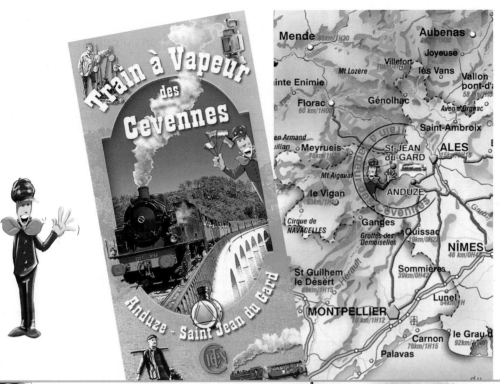

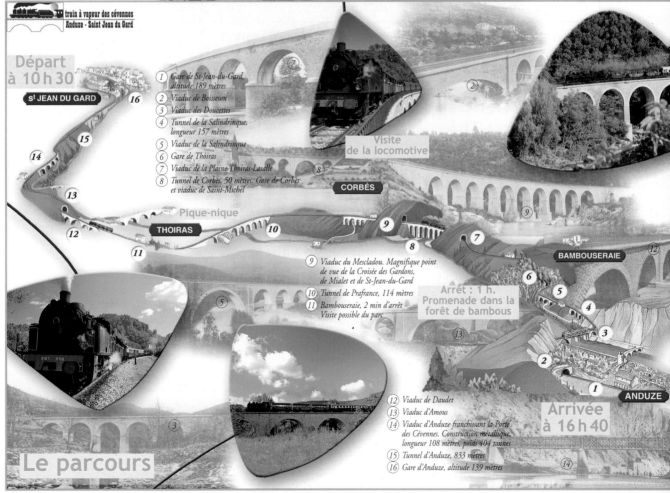

2 . FAIRE DES ANNONCES PUBLIQUES

46 Quand vous téléphonez, vous tombez souvent sur un répondeur. Les messages enregistrés sont différents, mais donnent généralement les mêmes informations ou indications.

a) Lisez le tableau. Écoutez.

Cochez les bonnes cases : à quel message correspondent les affirmations ?

	Message 1	Message 2	Message 3
On confirme le numéro de téléphone.			
On explique pourquoi on est absent.			
On promet de rappeler plus tard.			
On précise quand le correspondant doit parler.			
On remercie.			
On salue le correspondant.			
On demande au correspondant de laisser ses coordonnées.			
On suggère au correspondant de laisser un message.			
On dit qu'on n'est pas là pour l'instant.			
On laisse le correspondant libre de faire ce qu'il veut.			
On termine par une salutation.			

b) À votre avis, le message 1 est :

humoristique ☐   très formel ☐   poétique ☐   agressif ☐

c) Vous téléphonez à un(e) ami(e). Il/elle n'est pas là et vous tombez sur son répondeur téléphonique.

Imaginez le message que vous laissez.

d) Vous avez un portable mais il est interdit de le laisser branché en cours ou au bureau !

Vous enregistrez un message personnalisé sur votre répondeur.

Vous pouvez vous aider des messages entendus !

47 Imaginez comment l'animateur de la station de radio locale a annoncé la manifestation présentée sur l'affiche page 47.

Vous avez tous les éléments sur ce document.

Faites votre annonce.

> Vous pouvez, dans l'ordre :
> • dire de quel événement il s'agit,
> • dire quand et où il aura lieu,
> • donner des informations pratiques (heures, prix du billet d'entrée).

48 Un(e) de vos collègues de travail se marie.
Comme le veut la tradition, vous vous cotisez pour lui offrir un cadeau et organiser un buffet.

Vous êtes chargé(e) :
a) d'annoncer à vos collègues qu'une enveloppe circulera dans tous les services,
b) de prononcer quelques mots de félicitation aux futurs mariés le jour de la remise du cadeau, devant le buffet.

Vous pouvez :

a) • rappeler l'événement : *comme vous savez, Grégory/Karine se marie le…*
   • inviter à participer mais ne pas imposer : *si vous souhaitez participer, vous pouvez…*
   • indiquer comment procéder : *une enveloppe circulera dans tous les services…*

b) • vous adresser aux futurs mariés : *cher Grégory ou chère Karine…*
   • les féliciter au nom de tous : *permets-moi/permettez-moi de vous adresser toutes nos félicitations et meilleurs vœux de bonheur…*

49 Vous accompagnez des étudiants dans les châteaux de la Loire. Votre car arrive à destination, à Azay-le-Rideau.

Vous l'annoncez aux passagers et leur demandez de ne rien laisser dans le car.

Vous leur signalez aussi :
– qu'après la visite du château, vous les attendrez devant le car à 12 h 30 précises,
– que le déjeuner aura lieu à l'auberge « Le Fournil », à Vallères, à cinq kilomètres d'Azay-le-Rideau.

Vous leur souhaitez une bonne matinée.

> Vous pouvez :
>
> • attirer l'attention des étudiants endormis ou en train de bavarder !
> • faire la liste des choses à ne pas oublier dans le car : *un portable, un appareil-photo, un portefeuille...*
> • demander de ne pas être en retard au rendez-vous de 12 h 30 !
> • utiliser une formule sympathique avant de descendre du car : *bonne matinée, bonne visite, à tout à l'heure...*

3 ▪ S'ADRESSER À UN AUDITOIRE

▪ 1. FAIRE UN EXPOSÉ SUR UN SUJET RELATIF À SA VIE QUOTIDIENNE ▪

50 Un étudiant explique à son futur directeur de thèse pourquoi il désire préparer un doctorat scientifique en France, à Montpellier.

a) Pour commencer, il parle de ses études. Il note un certain nombre de points.
Barrez les éléments non pertinents.

la scolarité secondaire - les échanges inter-universitaires - le milieu familial - les concours passés - sa vocation précoce - son âge au moment des concours - les bourses obtenues - les stages - son cursus universitaire - la spécialité de l'université où il a fait ses études dans son pays - les travaux qu'il a réalisés - le nom de tous ses professeurs - les projets universitaires européens - les diplômes.

b) Des étudiants différents ont prononcé les phrases suivantes.
À quels points énumérés en **a)** correspondent-elles ?
Soulignez les bonnes réponses.

- J'ai apporté mes dessins.
- J'ai obtenu une bourse.
- J'ai étudié 3 ans à l'université de Pékin.
- J'ai fait un stage dans une galerie de peinture.
- Un professeur de Montpellier a enseigné 6 mois dans mon université.
- Dans mon pays, j'ai obtenu un master en informatique.
- J'ai participé à un projet Erasmus.
- J'ai suivi un cours intensif de français pendant 6 mois.

c) Le futur thésard – l'étudiant du point a – indique ensuite son niveau d'études (en nombre d'années) et le situe sur le schéma des études universitaires ci-dessous.

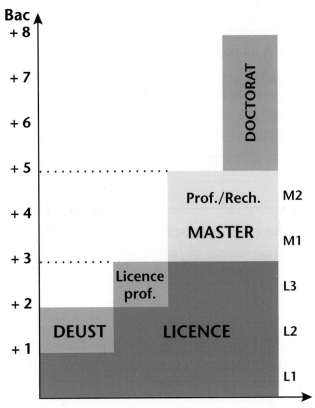

Schéma simplifié des études scientifiques.
Système européen LMD : Licence-Master-Doctorat.

DEUST : Diplôme d'Études Universitaires Scientifiques et Techniques
Licence prof. : Licence professionnelle
Master Rech. : Master de type recherche
Master Prof. : Master de type professionnel

d) Il explique pourquoi il veut étudier en France, et spécialement à l'université de Montpellier.

Soulignez les phrases pertinentes.

- Il n'y a pas de niveau équivalent dans mon pays.
- Je suis particulièrement intéressé par la France.
- Je veux rejoindre ma petite amie.
- Les études coûtent moins cher ici que dans les pays anglophones.
- L'université de Montpellier est renommée dans le domaine qui m'intéresse.
- Mon frère habite en France.
- J'adore le soleil.
- Il y a un important programme de coopération entre la France et mon pays.

e) D'autres étudiants expliquent ce qu'ils veulent faire après leurs études en France.

Associez à chacune des justifications ci-dessous la phrase qui convient :

   1. Créer mon entreprise.
   2. Travailler dans une entreprise française dans mon pays.
   3. Accéder à un poste supérieur.
   4. Partir travailler dans un pays francophone.

A. Maintenant, je suis maître-assistant mais je voudrais devenir professeur d'université.
B. J'ai des propositions de travail dans une entreprise d'import-export.
C. Je veux ouvrir une boutique de mode.
D. Je connais bien le Sénégal et je voudrais travailler dans ce pays.

1	2	3	4

f) Et vous, maintenant ? Sur ce modèle, expliquez pourquoi vous désirez faire des études en France.

Rappel des étapes : formation, niveau d'études comparé au système européen, choix de la France, projets.

51 Vous êtes étranger, vous êtes marié et vous avez deux fils de 13 et 16 ans.
Vous souhaitez acheter une maison dans les Côtes d'Armor, en Bretagne.
Vous contactez un agent immobilier parisien.
Vous lui présentez votre projet.

La veille, vous pensez à ce que vous allez dire et vous notez quelques idées.
   1. une vieille maison
   2. d'abord pour les vacances puis pour aménager des chambres d'hôtes
   3. une jolie vue
   4. pas trop loin de la ville
   5. maison typique de la région, grande, en bon état
   6. des voisins sympa
   7. un grand jardin, des arbres
   8. région : la Bretagne

a) Dans quel ordre allez-vous présenter ces éléments ?

.... – .... – .... – .... – .... – .... – .... – ....

b) Imaginez maintenant ce que vous allez dire.

> N'oubliez pas de vous présenter : *à quel moment allez-vous parler de votre nationalité et de votre situation de famille ?*
> Vous pouvez utiliser des expressions comme : *j'ai l'intention de - j'envisage de - je compte - mon objectif, c'est de - je cherche - je suis à la recherche de - je souhaite - je désirerais - je voudrais - j'ai besoin de…*

c) L'agent immobilier vous pose les trois questions ci-dessous.
Comment y répondez-vous ?

Cochez les réponses possibles.

1. **Vous êtes pressé, Monsieur ?**

Relativement. ☐   Pas vraiment. ☐   Si j'ai le temps. ☐   Très. ☐
Je peux attendre pour une bonne affaire. ☐   Pas du tout. ☐   Parfait. ☐

2. **Quel est votre budget ?**

Je voudrais d'abord avoir une idée des prix. ☐   Pas plus de 95 000 €. ☐
Ça dépend. ☐   Bof ! ☐   Aucune idée. ☐   Pas cher. ☐   Autour de 80 000 €. ☐

3. **Je peux vous demander pourquoi vous avez choisi la Bretagne ?**

J'adore la montagne. ☐   Pour ses paysages. ☐   Ma femme est bretonne. ☐
Les prix ne sont pas élevés. ☐   Par hasard. ☐   Pour son soleil. ☐
C'est moins loin que la Côte d'azur. ☐

52

En février 2005, l'*Association pour le commerce et les services en ligne* a indiqué :
« 10 millions de Français font leurs courses sur Internet. »

Et vous ? Justifiez votre réponse.

On vous pose cette question à un examen. Vous avez dix minutes pour préparer votre réponse.

Vous comprenez le sujet ?

➡ Oui. Je connais bien l'expression « faire ses courses » et bien sûr « Internet ».
➡ « Et vous ? », cela veut dire : est-ce que vous (donc moi) faites des achats sur Internet ?

Je repère ce que je dois faire. Je réponds par oui ou par non.
C'est tout ? Non, je dois aussi justifier.
  ◆ *Si je réponds « oui », je dois donner des exemples, dire ce que j'achète ; je peux aussi dire combien de fois par mois ou par an, par exemple ; je dois enfin expliquer pourquoi c'est intéressant pour moi.*
  ◆ *Si je réponds « non », je dois expliquer pourquoi je ne fais pas d'achats par Internet, donner mon avis sur ce type de commerce, c'est-à-dire parler des aspects négatifs (les inconvénients).*

Exemples :

Avantages	Inconvénients
J'habite dans une petite ville, il n'y a pas beaucoup de choix. Sur l'Internet, il y a tout...	En France, je ne peux pas pratiquer mon français !
C'est facile : il faut seulement cliquer sur l'écran...	J'ai besoin de toucher, sentir, écouter ou goûter quand j'achète quelque chose.
C'est confortable, on peut visiter plusieurs boutiques très rapidement...	Je ne peux pas essayer les vêtements, il y a toujours un problème de taille ou de couleur.

Allez-y !

■ 2. FAIRE UN EXPOSÉ SUR UN SUJET FAMILIER ■

53 En France, il y a des fêtes traditionnelles, régionales, civiles ou religieuses, des fêtes plus récentes venues d'ailleurs, d'Irlande ou des États-Unis, par exemple. À l'inverse, certaines fêtes nées en France comme la fête du Beaujolais nouveau ou la fête de la Musique sont aussi célébrées à l'étranger.

a) Retrouvez la date de célébration et le symbole de chaque fête.

La Saint -Valentin   •   Le 3ᵉ jeudi de novembre   •

La Saint -Patrick   •   Le 1ᵉʳ mai   •

La Saint -Jean   •   Date variable   •

Halloween   •   Le 21 juin   •

Le Beaujolais nouveau   •   Le 17 mars   •

La fête du Travail   •   Le 1ᵉʳ novembre   •

La fête de la Musique   •   Le 14 février   •   

Pâques   •   Le 24 juin   •

b) Choisissez une fête traditionnelle de votre pays/région et présentez-la.

> Pour en parler, vous pouvez dire :
> • s'il s'agit d'une fête religieuse ou civile,
> • à quelle date elle est célébrée,
> • comment on la célèbre, en général, dans votre pays,
> • ce que vous faites personnellement ce jour-là.

54 a) Observez les deux documents ci-dessous.

1.

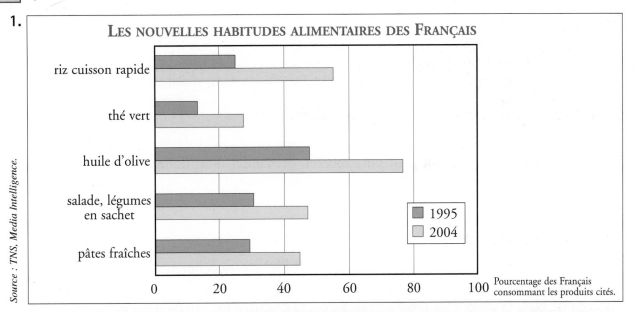

LES NOUVELLES HABITUDES ALIMENTAIRES DES FRANÇAIS

Source : TNS, Media Intelligence.

2.

Les Français à table

67,7 % des Français déjeunent à la maison. Ils ne sont que **20 %** à prendre 4 plats au déjeuner et **53 %** à ne consommer qu'un ou deux plats au dîner. **50 %** regardent le petit écran en dînant.

25 % consacrent moins de 20 minutes en semaine à la préparation du repas. **1/4** des Français considèrent la cuisine comme un loisir de fin de semaine. **22,4 %** achètent du potage en briques individuelles.

D'après *Le Monde* du jeudi 7 octobre 2004.

b) Cochez la bonne réponse.

	VRAI	FAUX
La majorité des Français déjeunent au restaurant.	○	○
Les 3/4 des Français dînent devant la télé.	○	○
Le temps de préparation des menus est raccourci.	○	○
Les Français n'aiment pas cuisiner le week-end.	○	○
Les repas sont simplifiés.	○	○
En 9 ans, la consommation de pâtes a baissé.	○	○
La consommation de riz a doublé.	○	○

c) Quels sont les comportements alimentaires dans votre pays ?

Sur le modèle ci-dessus, présentez la situation.
Si vous préférez, parlez de vos propres habitudes.

Vous pouvez :

- utiliser des expressions comme : *beaucoup de, une minorité de, peu de, la plupart des…*
Il n'est pas absolument nécessaire d'avoir des chiffres précis.
- utiliser les verbes *aimer, préférer, détester, consommer, acheter, cuisiner, déjeuner, dîner…*
- indiquer les changements, les évolutions : *avant, maintenant…*
- faire des comparaisons : *plus de…, moins de…*

En situation d'interaction orale, on « négocie » la parole avec un interlocuteur : on doit comprendre ce qu'il dit et répondre immédiatement ou on doit soi-même prendre l'initiative. C'est un peu difficile :
– on n'a pas le temps de préparer ce qu'on veut dire, il faut réagir ;
– on a souvent du mal à comprendre, on n'est pas sûr de comprendre correctement ;
– on ne connaît pas bien les règles, les habitudes pour prendre la parole en français.
Mais il y a des avantages :
– on partage la situation avec l'interlocuteur, on sait ou on peut deviner de quoi il s'agit ;
– si on ne comprend pas, on peut faire répéter, demander d'expliquer, vérifier qu'on a bien compris ;
– réciproquement, si notre interlocuteur ne nous comprend pas, on peut essayer d'expliquer d'une autre manière, d'utiliser les gestes.

En situation d'apprentissage, pour se préparer à l'interaction orale, on peut :
– comme pour la réception, s'entraîner à deviner d'après la situation ;
– comme pour la production, prévoir ce qu'on peut dire dans cette situation.

On peut aussi :
– apprendre des expressions, des mots très courants dans les échanges ;
– s'entraîner à construire l'échange avec son interlocuteur, c'est-à-dire s'entraîner à :
  • vérifier ce que l'interlocuteur veut dire, demander son aide, vérifier qu'il nous comprend,
  • participer à un échange, montrer qu'on suit mais aussi commencer et finir l'échange.

Les activités qui suivent et les conseils suggérés dans les encadrés ⓘ vous aident à développer ces stratégies.

1. PARTICIPER À UNE CONVERSATION

■ 1. UTILISER DES FORMULES D'ÉCHANGE COURANTES ■

55 Écoutez et réagissez.
Pour vous aider, vous pouvez utiliser les propositions ci-dessous.
⚠ Attention, elles sont dans le désordre. Écoutez bien l'intonation !

A. C'est triste, c'est arrivé quand ?
B. Bravo !
C. Tant pis, ce n'est pas grave...
D. C'est pas vrai ? Et l'heureuse élue s'appelle comment ?
E. Toutes mes félicitations !
F. Et alors, c'est bien une fille ?

G. Ils exagèrent un peu...
H. Ne vous inquiétez pas !
I. 25 ans, ça s'arrose !
J. Bon voyage !
K. Dites-lui bonne chance de ma part.
L. Oh merci beaucoup, c'est très gentil, il ne fallait pas ...

56 Écoutez et répondez immédiatement.

57 Vous êtes dans différentes situations de la vie quotidienne.

Écoutez ce qu'on vous dit dans chaque situation. Répondez.

1. Au restaurant, vous avez choisi une entrecôte.
2. Dans un commerce, vous attendez votre tour.
3. À la gare, vous achetez un billet pour aller à Lyon.
4. À l'hôtel, vous réservez une chambre.
5. À la poste, vous envoyez une lettre importante.
6. Au cinéma, vous venez d'acheter votre ticket.
7. Vous achetez votre pain à la boulangerie.
8. À la banque, à la caisse.
9. À la librairie.
10. Dans une boutique de vêtements.

58 **a)** Que diriez-vous dans les situations suivantes ?

A. Vous avez cassé un vase chez votre hôte (la personne qui vous a invité[e]).
B. Vous n'êtes pas allé(e) à un rendez-vous chez le dentiste, vous téléphonez.
C. Vous avez fait du bruit tard hier soir. Vous rencontrez votre voisin.
D. Vous avez heurté quelqu'un en passant.
E. Vous avez quitté l'hôtel en emportant la clé de votre chambre, vous appelez l'hôtel.
F. Vous avez pris la place de quelqu'un dans une file d'attente.
G. Vous avez dit quelque chose qui a froissé (vexé) votre interlocuteur.
H. À cause de vous, votre ami est arrivé en retard à une conférence.

Écoutez.

Retrouvez à quelle situation correspond chaque excuse.

Ex. **B-1**

A	B	C	D	E	F	G	H
	1						

b) Pour s'excuser, on utilise une formule d'excuse plus ou moins formelle.

Observez les formules suivantes :

1. Je vous prie de m'excuser.
2. Excusez-moi.
3. Je suis vraiment désolé.
4. Pardonnez-moi.
5. Je vous présente toutes mes excuses.
6. Je suis vraiment confus.
7. Pardon.

Quelles formules sont plus formelles ? ....

c) Souvent aussi, on fait au moins une des choses suivantes :

• on explique (*J'ai eu beaucoup de travail hier !...*),
• on reconnaît ses torts, sa faute ou son erreur (*Je suis toujours maladroit !...*),
• on propose de réparer ou on promet de ne pas recommencer (*Est-ce que je pourrais le remplacer ?...*).

À quelle intention correspondent les phrases suivantes ?

Classez-les dans le tableau.

1. Je ne vous ai pas vu(e).
2. Je ne voulais pas dire ça, je me suis mal exprimé.
3. Ça n'arrivera plus.
4. Je l'ai oubliée dans ma poche.
5. Je l'envoie tout de suite.
6. J'étais distrait.
7. C'est de ma faute.

Expliquer	Reconnaître ses torts	Proposer une réparation

d) À vous !

1. Vous avez fait une erreur de numéro au téléphone. **Choisissez une formule d'excuse et reconnaissez votre erreur.**

2. Vous avez perdu un livre prêté par un ami. **Choisissez une formule d'excuse et proposez une réparation.**

3. Vous n'avez pas pu respecter les délais pour un travail. **Choisissez une formule d'excuse, donnez une explication et proposez une réparation.**

4. Vous arrivez un peu en retard à un rendez-vous. **Choisissez une formule d'excuse et donnez une explication.**

59 **a) Lisez les phrases suivantes ;** ce sont des réponses aux excuses que vous avez entendues dans l'activité 58.

a. Ne vous faites pas de souci, ce n'était pas un objet de valeur.
b. Pour une fois, ce n'est pas bien grave.
c. Non, non, ça va, ce n'est rien.
d. Ça arrive à tout le monde mais je n'ai plus de place cette semaine pour un autre rendez-vous.
e. Je comprends, c'était juste un malentendu, n'en parlons plus.
f. Je vous en prie, il n'y a pas de mal.
g. Mais moi aussi, je pouvais vérifier.
h. Très bien, je vous remercie.

Écoutez à nouveau les excuses. Retrouvez à quelle excuse correspond chaque réponse.

a : ……… b : ……… c : ……… d : ……… e : ……… f : ……… g : ……… h : ………

b) Dans les situations suivantes, une personne s'excuse et vous lui répondez.
Pour chaque situation, écoutez l'excuse donnée. Imaginez votre réponse.

1. Au café, une personne a renversé du jus de fruit sur votre vêtement.
2. Un collègue a oublié d'apporter le document que vous lui avez demandé.
3. Une personne que vous connaissez peu arrive en retard au rendez-vous qu'elle vous a fixé.
4. Une personne que vous connaissez ne vous a pas salué(e).
5. Un vendeur s'est trompé dans le prix.

Comparez avec les propositions enregistrées.

■ 2. GÉRER DE COURTS ÉCHANGES SOCIAUX ■

● Montrer qu'on suit un échange ●

60 Écoutez le dialogue.

Repérez tous les petits mots utilisés par B pour montrer à son interlocuteur qu'il suit ses paroles.

Pour montrer qu'on suit, on peut faire simplement une mimique, un mouvement de la tête.

Mais on peut aussi parler : approuver, marquer un doute, poser une question, faire un petit commentaire...
Pour cela, on utilise très souvent certaines expressions. Par exemple :
• pour poser une question ou marquer un doute : *Ah oui ? Vraiment ? Ah bon ? Pardon ? Ah tiens ? Et alors ? C'est vrai ? Tu crois ? Quoi ?...*
• pour approuver : *C'est vrai, En effet, C'est possible...*

61 Écoutez l'enregistrement.

Imaginez comment B participe à l'échange, montre qu'il suit.

Vous pouvez utiliser les petits mots de l'activité 60.

● Commencer et terminer un échange ●

62 Écoutez et dites si les phrases commencent ou terminent un échange.

Phrase	Commence l'échange	Termine l'échange
1		
2		
3		
5		
6		
7		
8		
9		
10		
11		
12		
13		
14		
15		

63 Imaginez la phrase qui ouvre chaque échange et celle qui peut le fermer.

1. AU SECRÉTARIAT.

– _____

– Oui, bien sûr. Allez-y.
– Eh bien, qu'est-ce que ça veut dire ce signe sur le papier ? Je ne comprends pas.
– Ça ? Oh ça signifie juste que, pour ces activités, vous devez vous inscrire avant.
– Ah bon !
– Vous avez un autre problème ?

– _____

2. DANS LA SALLE D'EMBARQUEMENT DE L'AÉROPORT, APRÈS UNE ANNONCE.

– _____

– Oui, le vol est retardé d'une heure environ.
– Oh non ! Ils ont dit pourquoi ?
– Oui, l'avion est arrivé en retard.

– _____

3. RENCONTRE DANS LA RUE.

– _____

– C'est vrai, ça fait une éternité ! Pourtant j'habite toujours ici... Toi aussi ?
– Bien sûr ! tu vas bien ?
– Oui, oui, merci. Et toi ?
– Ça va. Tu t'occupes toujours de peinture ?
– Oui... enfin j'essaye. Pas facile, tu sais bien. Et toi ? Toujours dans la communication ?
Ça marche ?
– Pas mal, mais beaucoup de stress.
– J'imagine...
– Tu as de nouveaux artistes ?
– Oui, j'ai fait une découverte ! Mais passe donc me voir un de ces jours.
– Avec plaisir. Je ne suis pas là cette semaine mais à mon retour, je t'appelle.

– _____

● Demander des nouvelles ●

64 1. Fang rentre de deux semaines de vacances dans son pays, la Chine. Elle rencontre Estelle, une amie française, étudiante dans la même université.
Écoutez ce que dit Estelle.
Imaginez les réponses de Fang.

2. Vous retrouvez un ami parti faire un stage de deux mois dans une autre ville. Vous prenez l'initiative de l'échange.
Préparez les questions à lui poser.

2 ■ PARTICIPER À DES DISCUSSIONS INFORMELLES

65 Vous discutez de votre programme du week-end avec Marie.

1. Écoutez Marie.
2. À vous ! → **Vous demandez une précision sur le jour.**
3. Écoutez Marie.
4. À vous ! → **Vous êtes d'accord mais vous refusez par avance sa sortie préférée.**
5. **Écoutez Marie.**
6. À vous ! → **Vous vérifiez que vous avez bien compris la proposition de Marie.**
7. Écoutez Marie.
8. À vous ! → **Vous répondez que non mais que vous aimez beaucoup ce genre de musique. Vous demandez l'opinion de Marie.**
9. Écoutez Marie.
10. À vous ! → **Vous acceptez la proposition de Marie.**
11. Écoutez Marie.
12. À vous ! → **Vous trouvez que c'est une bonne idée ; vous espérez que ça marchera.**

66 Une amie vous propose d'aller faire les soldes avec elle.

▶ SITUATION 1 ◀

Vous aussi, vous avez envie d'y aller et vous acceptez très volontiers.
Écoutez chaque phrase et imaginez immédiatement votre réponse.

▶ SITUATION 2 ◀

Ça ne vous intéresse pas particulièrement.
Une deuxième fois, écoutez chaque phrase et imaginez immédiatement votre réponse.

3 ■ PARTICIPER À DES DISCUSSIONS ET RÉUNIONS FORMELLES

67 Yoshi est japonais, il travaille actuellement en France, dans une entreprise franco-japonaise. Il assiste à une réunion de service.

Écoutez l'enregistrement.

• Repérez : - combien de personnes parlent,
  - de quoi elles parlent.

Écoutez une deuxième fois.

• Repérez quelles expressions le chef de service utilise pour :
  - demander l'opinion de ses collaborateurs,
  - confirmer,
  - revenir à son sujet.
• Repérez comment le collaborateur étranger :
  - vérifie qu'il a compris,
  - demande une explication.

Thomas est néerlandais ; il est stagiaire depuis 6 semaines dans une entreprise française. Il participe à une réunion de service.

Vous allez écouter l'enregistrement. Vous entendez seulement les paroles du directeur.

- Combien de sujets sont abordés ?
- Quels sont ces sujets ?
- Sur quels sujets a-t-il sollicité Thomas ?

Maintenant, imaginez les interventions de Thomas.

    1. Il n'est pas sûr d'avoir compris, il vérifie puis il accepte.

    2. Il accepte, il demande une précision.

Utilisez les expressions que vous avez apprises.

> Thomas ne comprend pas tout, bien sûr ! Mais il comprend qu'on s'adresse à lui, il peut repérer des mots qu'il connaît (*horaires, après-midi, aller chercher à la gare...*) En général, quand on ne comprend pas tout, on peut deviner en partie et vérifier ou demander une explication.

4. COOPÉRER POUR AIDER

Carla passe quelques jours chez des amis français. La mère de famille lui demande de l'aider.
Écoutez sa question.
Écoutez la réponse de Carla.
Écoutez ensuite la réponse de son amie.
Maintenant, vous allez poursuivre le dialogue à la place de Carla en suivant le schéma de la page 61.

> Pour vous aider, réfléchissez...
> Quand on prépare la table pour le repas, on a besoin de quoi ?
> Rassemblez le vocabulaire que vous connaissez : *la nappe, les assiettes, les verres...*
> Il faut placer ces objets sur la table, les situer les uns par rapport aux autres.
> Mais pour cela, il faut savoir où ils se trouvent.

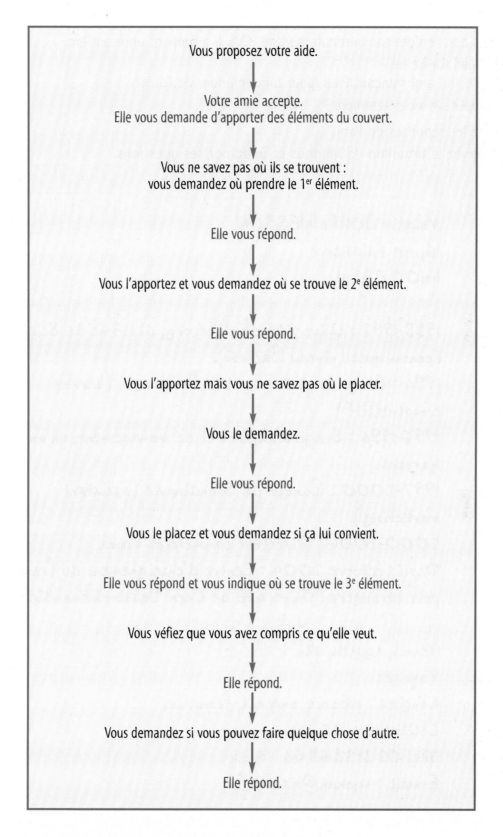

Vous proposez votre aide.

Votre amie accepte.
Elle vous demande d'apporter des éléments du couvert.

Vous ne savez pas où ils se trouvent :
vous demandez où prendre le 1er élément.

Elle vous répond.

Vous l'apportez et vous demandez où se trouve le 2e élément.

Elle vous répond.

Vous l'apportez mais vous ne savez pas où le placer.

Vous le demandez.

Elle vous répond.

Vous le placez et vous demandez si ça lui convient.

Elle vous répond et vous indique où se trouve le 3e élément.

Vous véfiez que vous avez compris ce qu'elle veut.

Elle répond.

Vous demandez si vous pouvez faire quelque chose d'autre.

Elle répond.

À chaque étape :
  – vous proposez une réponse,
  – vous comparez avec la proposition enregistrée,
  – vous écoutez la réplique suivante.

70 Magnus doit rédiger son curriculum vitae (CV). Il a préparé un brouillon.

Il n'est pas sûr de lui.

Il appelle son ami français, Paul, pour lui demander de l'aider.

Que veut-il savoir exactement ?

Écoutez les réponses de Paul.

a) Observez le brouillon de Magnus et imaginez ses questions.

Magnus JOHANNESSON
15, rue Faidherbe
14100 CAEN

1988-1993 : Université de Göteborg, diplôme de Sciences économiques (niveau Bac +5).

1994 : Stage de six mois chez Électrolux (service comptabilité).

1995-1996 : Stage d'anglais et de management, un an à Harvard.

1997-2000 : Banque de Scandinavie (assistant marketing).

2000-2004 : Directeur commercial Volvo.

Depuis octobre 2004 : Centre d'enseignement du français pour étrangers (Université de Caen Basse-Normandie).

Tennis, squash, ski
Voyages
Langues : suédois, anglais, français.
Célibataire, 35 ans
Tél. 02 31 33 58 46
E-mail : mjohan@tiscali.fr

b) Observez le CV que Magnus a rédigé.

Magnus JOHANNESSON
15, rue Faidherbe
14100 CAEN
Tél. 02 31 33 58 46
E-mail : mjohan@tiscali.fr

Célibataire
35 ans

ÉTUDES - FORMATION

- **1988-1993** UNIVERSITÉ DE GÖTEBORG, diplôme de Sciences économiques (niveau Bac + 5).

STAGES PROFESSIONNELS ET DE LANGUES

- **Depuis octobre 2004**
  Stage de français au CENTRE D'ENSEIGNEMENT DU FRANÇAIS POUR ÉTRANGERS (Université de Caen Basse-Normandie).

- **1995-1996** Stage d'anglais et de management, un an à HARVARD.

- **1994** Stage de six mois chez ÉLECTROLUX (service comptabilité).

EXPÉRIENCE PROFESSIONNELLE

- **2000-2004** Directeur commercial VOLVO.

- **1997-2000** Assistant marketing à la BANQUE DE SCANDINAVIE.

CENTRES D'INTÉRÊT

- Tennis, squash, ski.
- Voyages.

LANGUES

- Suédois, anglais, français.

c) À votre avis, Magnus a-t-il bien compris les conseils de Paul ?

oui ☐   non ☐

Pourquoi ? _____

_____

71 Vous devez prendre tous les jours un médicament contre l'allergie.
Vous n'en avez pas assez pour la fin de votre séjour en France. Pour en acheter, vous avez besoin d'une ordonnance.
Vous demandez à votre logeuse de vous recommander un médecin généraliste.

a) Écoutez votre première question.
Écoutez la réponse de votre logeuse.

b) Maintenant, continuez le dialogue :
• proposez une réponse,
• écoutez la proposition enregistrée,
• écoutez la réplique suivante.

Poursuivez le dialogue de cette façon.

⚠ Attention ! N'oubliez pas de demander l'adresse !

〈 En France, quand on veut consulter un médecin, il faut en général prendre
〈 rendez-vous. Selon le médecin, il faut attendre plus ou moins longtemps.
〈 On paie le médecin, et l'assurance maladie rembourse ensuite une partie
〈 de la consultation.

72 Vous ne connaissez pas bien la ville.
Vous demandez à une amie de vous conseiller un salon de coiffure.
Vous souhaitez : - vous faire couper les cheveux,
                 - vous faire faire un « brushing »,
                 - et, peut-être, quelques mèches de couleur.
Vous ne voulez pas payer trop cher.
Vous demandez où se trouve le salon et s'il faut prendre rendez-vous.
Écoutez votre première question.

Écoutez la réponse de votre amie. Continuez le dialogue
1. Vous lui expliquez ce que vous désirez.
2. Écoutez une proposition d'explication.
3. Écoutez la réponse suivante de votre amie.
4. Imaginez votre réponse, etc.
Poursuivez le dialogue de cette façon.

73

LIVRAISON GRATUITE

Royal Pizza

PÂTE FRAÎCHE MAISON
PRÉPARÉE TOUS LES JOURS

NOUVEAU !
DVD OFFERT
*voir conditions

VENTE EN LIVRAISON
ET
SUR PLACE

Nos Pizzas...

			JUNIOR 1 PERS. Ø26CM	SENIOR 2 PERS. Ø31CM	FAMILIALE 4/5 PERS. Ø40CM
P1-	MARGHERITA	Tomate, mozzarella, origan	6,30€	10,90€	14,00€
P2-	SICILIENNE	Tomate, olives, anchois, origan			
P3-	NAPOLITANA	Tomate, mozzarella, anchois, câpres, origan	6,90€	11,50€	15,00€
P4-	REGINA	Tomate, mozzarella, épaule, champignons, origan			
P5-	CALZONE soufflée	Tomate, mozzarella, épaule, œuf, origan			
P6-	TONARELLA	Tomate, mozzarella, thon, olives, origan	7,90€	12,50€	16,00€
P7-	MEXICAINE	Tomate, mozzarella, merguez, chorizo, pepperoni, poivrons			
P8-	PESCATORE	Tomate, moules, crevettes, calamars, ail, persil, origan			
P9-	4 SAISONS	Tomate, mozzarella, épaule, champignons, artichauts, olives, origan			
P10-	ROYAL	Tomate, mozzarella, viande hachée,			

Nos Salades Fraîcheur...

6€

S1- SALADE DU CHEF - Salade verte, tomates, thon, œuf, maïs, vinaigrette
S2- SALADE ITALIENNE - Salade verte, tomates, mozzarella, huile d'olives, anchois
S3- SALADE NIÇOISE - Salade verte, tomates, thon, gruyère, œuf, maïs, vinaigrette
S4- SALADE AVOCAT-CREVETTES - Salade verte, tomates, avocat, crevettes, vinaigrette
S5- SALADE ROYALE - Salade verte, tomates, lardons grillés, chèvre toasté
S6- SALADE MIXTE - Salade verte, tomates, thon, mozzarella, olives, vinaigrette

Pain maison OFFERT

EN LIVRAISON

3 Juniors au choix
+ 1 Maxi *Coca-Cola* 1,5L
17,80€ M4

2 Seniors au choix
+ 1 Maxi *Coca-Cola* 1,5L
19,90€ M5

2 Familiales au choix
+ 1 Maxi *Coca-Cola* 1,5L
26,60€ M6

MENU SALADE SOLO
1 Junior au choix
+ 1 Salade au choix
+ 1 Boisson 33cl
11,90€ M7

MENU SALADE DUO
1 Senior au choix
+ 2 Salades au choix
+ 2 Boissons 33cl
18,90€ M8

Couscous Royal
Poulet, 1 merguez, 1 brochette
+ semoule, bouillon, légumes, pois chiches.
8,50€ C1
Raisins secs et harissa offerts sur demande

a) Regardez bien le document ci-dessus.

De quel document s'agit-il ?

une publicité pour un restaurant ☐   une sélection de recettes ☐   une carte de restaurant ☐

On vous propose des plats :

à consommer sur place ☐   à emporter ☐   à livrer ☐

b) Écoutez.

c) Quelle est la situation ? Qui parle ?

d) À l'aide du document, imaginez les interventions de Madame Brown.

74 Vous avez décidé d'aller dîner au restaurant avec un ami.
Vous voulez faire un repas bien français, pour 20 € à 25 € environ.
Chacun de vous est allé consulter la carte d'un restaurant.
Vous avez lu et noté la carte affichée devant le restaurant **Le Gambrinus**.
Votre ami a lu et noté la carte du restaurant *Saveurs d'Antan*.

Vous échangez vos informations.

Notez le menu présenté par votre ami.
Indiquez-lui « votre » menu.

Pour vous aider, lisez les noms des plats ci-dessous.
Repérez et recopiez les plats nommés par votre ami.

Entrées : Saumon fumé et ses toasts – Assiette de crudités – Quiche lorraine – Chèvre chaud sur lit de salade – Assiette de charcuterie.

Plats : Entrecôte Maître d'hôtel – Escalope à la crème – Saumon à l'oseille – Poulet Marengo – Sole meunière.

Légumes : Gratin dauphinois – Tian d'aubergines et courgettes – Ratatouille – Purée mousseline.

Desserts : Marquise au chocolat – Profiterolles – Tarte Tatin – Île flottante.

Écoutez la question de votre ami.
Répondez-lui et posez-lui la question correspondante pour « son » menu.
Notez sa réponse dans la fiche.

Écoutez ensuite la proposition de réponse.
Continuez de même avec les questions suivantes.

Pour vos réponses, utilisez la fiche ci-dessous.

	Nombre de menus	Prix	Entrées	Plats	Légumes	Desserts
Le Gambrinus	2	19,50 € 30 €	Œuf mimosa Salade niçoise	Lapin chasseur Daurade au sel	Haricots verts Jardinière de légumes	Tarte au chocolat Salade de fruits
Saveurs d'Antan						

75

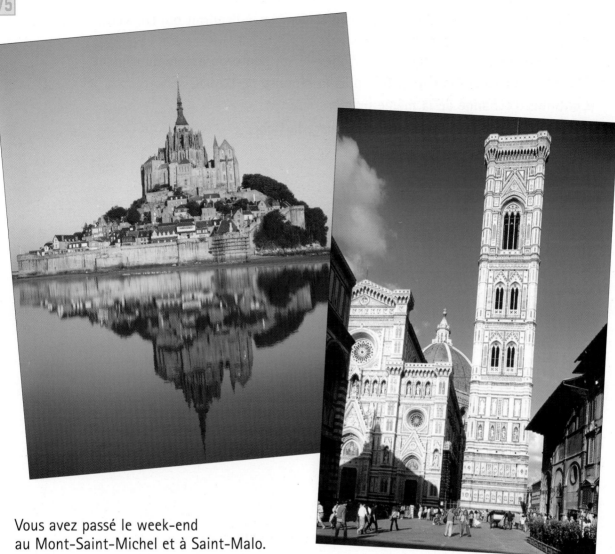

Vous avez passé le week-end
au Mont-Saint-Michel et à Saint-Malo.

Le lundi, vous rencontrez un camarade d'études.
Lui, il a passé le week-end à Florence, en Italie.

Vous parlez de vos week-ends respectifs.

Réfléchissez.

Il s'agit de deux week-ends de tourisme.

- *Quand êtes-vous parti ? À quelle heure ? Quand êtes-vous revenu ?*
- *Comment avez-vous voyagé ? C'était un voyage organisé ?*
- *Combien de temps a duré le voyage ?*
- *Où avez-vous logé ?*
- *Qu'avez-vous visité ?*
- *Avez-vous goûté des spécialités locales ? Quel temps a-t-il fait ?*

Vous saluez votre camarade et vous lui demandez comment il va.

Écoutez sa réponse et notez sur la fiche ci-dessous, à l'endroit qui convient, ce que vous avez appris sur son week-end.

Puis répondez à sa question et interrogez-le sur son programme du samedi.

Écoutez la proposition enregistrée puis la réponse de Daniel.

Continuez l'échange de la même manière.

Pour vos questions et vos réponses, utilisez la fiche.

		VOUS Saint-Malo Le Mont-Saint-Michel	**VOTRE AMI** Florence
	MOYENS DE TRANSPORT	Train, car	
S	**DÉPART**	En train, le matin très tôt, à 6 h	
a			
m	**OCCUPATIONS** *Matin*	• Visite de Saint-Malo • Promenade dans la ville et sur les remparts	
e			
d	*Après-midi*	• En car : de Saint-Malo à Dinan • Promenade et nuit à Dinan	
i			
D	**OCCUPATIONS** *Matin*	• En car : de Dinan au Mont-Saint-Michel • Promenade	
i			
m			
a	*Après-midi*	• Déjeuner • Visite de l'abbaye	
n			
c	**RETOUR**	En train, le soir, à 22 h	
h			
e			
	REMARQUES	Beau temps, paysages magnifiques. Délicieuses crêpes et galettes.	

76

> URGENT. Cause départ, vends électroménager + meubles cuisine, état neuf, prix à débattre. Téléphoner au 01 47 66 61 71, de préférence le soir.

Vous avez fait passer cette petite annonce dans le journal.
Un lecteur intéressé vous appelle quelques jours plus tard pour vous demander des précisions.

a) À quelles questions vous attendez-vous?
Barrez les questions non pertinentes.

Où partez-vous?

Qu'est-ce que vous vendez exactement?

La cuisinière est électrique?

Pourquoi partez-vous?

Est-ce que vous vendez un réfrigérateur?

Comment est la table?

Quelle est la marque du lave-vaisselle?

De quelle couleur sont les meubles?

Vous aimez votre appartement?

Les meubles sont en bois?

Le four est classique ou à micro-ondes?

Combien de chaises avez-vous?

Quel est votre prix?

b) Écoutez les questions.

c) Imaginez vos réponses.

7 ■ INTERVIEWER ET ÊTRE INTERVIEWÉ

77 Vous discutez avec votre famille d'accueil en France.
Vous interrogez la maîtresse de maison.
Vous voulez savoir si elle habite depuis longtemps dans la ville, si la ville a changé.
Écoutez ses réponses.
Imaginez vos questions.

78 Le gérant du magasin de fruits et légumes « Les quatre saisons » veut créer un nouveau service de livraison à domicile.

Son projet correspond-il à un besoin de la clientèle ?
Il mène l'enquête par téléphone.

Il vous appelle.
Écoutez-le.
Pour lui répondre, suivez le parcours (2) sur le schéma de la page 70.
Répondez-lui.
Écoutez la proposition enregistrée.
Écoutez la réponse du gérant.
Répondez-lui.
Poursuivez sur ce modèle jusqu'à la fin de l'interview.

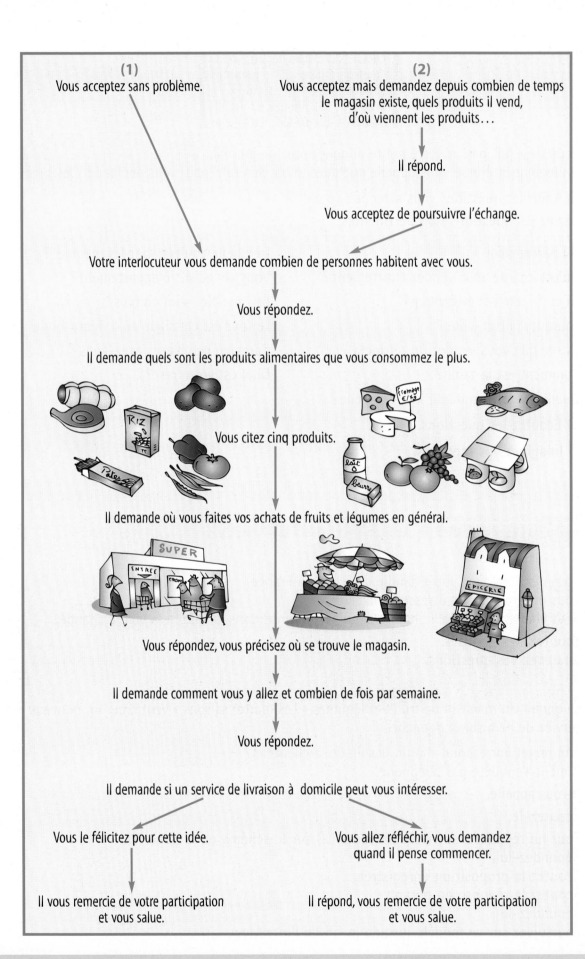

(1)
Vous acceptez sans problème.

(2)
Vous acceptez mais demandez depuis combien de temps
le magasin existe, quels produits il vend,
d'où viennent les produits…

Il répond.

Vous acceptez de poursuivre l'échange.

Votre interlocuteur vous demande combien de personnes habitent avec vous.

Vous répondez.

Il demande quels sont les produits alimentaires que vous consommez le plus.

Vous citez cinq produits.

Il demande où vous faites vos achats de fruits et légumes en général.

Vous répondez, vous précisez où se trouve le magasin.

Il demande comment vous y allez et combien de fois par semaine.

Vous répondez.

Il demande si un service de livraison à domicile peut vous intéresser.

Vous le félicitez pour cette idée.

Vous allez réfléchir, vous demandez
quand il pense commencer.

Il vous remercie de votre participation
et vous salue.

Il répond, vous remercie de votre participation
et vous salue.

79 Vous vivez en France, vous lisez :

- tous les jours la presse quotidienne de votre pays sur l'Internet,
- deux fois par semaine *Le Monde*,
- de temps en temps l'hebdomadaire *L'Express*,
- régulièrement la presse spécialisée automobile,
- beaucoup plus rarement des romans, vous commencez à lire des livres en français.

Vous achetez les quotidiens et les magazines.

Vous empruntez les livres à la médiathèque.

Votre budget lecture mensuel est d'environ 30 €.

Dans la rue, on vous demande de participer à un sondage sur la lecture.

Écoutez les questions de l'enquêteur et répondez.

8 ■ QUE DIRIEZ-VOUS ?

80 Pour chaque photo, imaginez la situation :

Pour les photos 1, 3, 4, 5, 6 :
- Où se passe l'échange ?
- Quelles sont les relations entre les personnes ?
- De quoi peuvent-elles parler ?

Pour la photo 2 : à qui et pourquoi la jeune femme téléphone-t-elle ?

À partir de vos réponses, imaginez un petit dialogue correspondant à chaque photo.

Utilisez les expressions que vous avez apprises dans les activités précédentes.

ÉCRIT

ÉCRIT - SOMMAIRE

☐ COMPRÉHENSION ÉCRITE

☐ PRODUCTION ÉCRITE

☐ INTERACTION ÉCRITE

En situation de compréhension écrite, c'est-à-dire en situation de lecture, en langue étrangère comme dans sa langue maternelle…
– on lit avec un objectif : pour repérer une information précise ou pour comprendre globalement de quoi il s'agit. On ne veut pas obligatoirement tout lire et tout comprendre et ce n'est pas toujours nécessaire ;
– on lit des documents différents : des publicités, des modes d'emploi, des programmes, des articles de journaux, des lettres…
– on adapte sa lecture à son objectif et au document.

Comprendre un texte en langue étrangère semble difficile, mais…
– on connaît déjà dans sa langue maternelle les mêmes types de documents et de sujets, les thèmes qu'ils présentent ;
– on peut aussi connaître certains mots et en deviner d'autres.

Les stratégies utilisées en compréhension écrite et en compréhension orale sont peu différentes, mais en compréhension écrite on a un avantage : **on peut relire**.

En situation d'apprentissage, pour développer sa compétence de lecture, on doit :
– accepter de ne pas tout comprendre,
– ne pas se précipiter sur son dictionnaire,
– s'aider de ses connaissances sur le sujet et des ressources du document (les illustrations, la source, l'auteur…) pour anticiper, faire des hypothèses sur ce qu'on va lire,
– utiliser le contexte, les mots qu'on connaît pour deviner, comprendre plus,
– repérer des mots qui aident à comprendre l'organisation du texte, l'ordre des événements ou des actions, par exemple.

Dans une activité de compréhension, il faut aussi bien lire les questions parce qu'elles donnent des objectifs de lecture et aident à repérer les points importants.

Les activités qui suivent ou les pistes suggérées dans les encadrés   permettent de développer ces stratégies.

1. COMPRÉHENSION GÉNÉRALE

■ 1. VOCABULAIRE INTERNATIONALEMENT PARTAGÉ ■

81 ⊖ Il y a des mots français que les étrangers peuvent comprendre facilement.

C'est le cas des mots suivants :

air	café	garage	musée	photo	stop	ticket
art	chic	hôpital	opéra	pluriel	taxi	train
bravo	cinéma	hôtel	patio	restaurant	téléphone	théâtre
bus	concert	métro	pension	steak	télévision	thé

Ils sont écrits de gauche à droite →, de droite à gauche ←, de haut en bas ↓, de bas en haut ↑, en diagonale, de gauche à droite ↗ ou ↘ et de droite à gauche ↖ ou ↙.

C	L	E	I	R	U	L	P	E	S	T	E
T	E	L	E	V	I	S	I	O	N	R	N
R	M	O	L	T	S	X	P	A	T	I	O
A	P	S	E	O	A	E	R	A	E	S	H
I	M	H	T	T	R	U	E	F	N	B	P
N	U	C	O	A	A	H	A	T	R	T	E
R	S	I	H	T	T	C	A	A	N	G	L
P	E	N	S	I	O	N	V	S	T	A	E
E	E	P	C	C	O	N	C	E	R	T	
H	R	M	A	K	A	E	T	S	R	A	A
T	E	A	M	E	T	R	O	U	N	G	I
H	O	P	I	T	A	L	T	B	S	E	R

b) Les lettres non utilisées forment une phrase. Elle indique comment on appelle ces mots. Écrivez-la. _____

82 ↻ Un mot français peut ressembler à un mot de votre langue mais avoir un sens différent. C'est un faux ami.

Ex. En français, la « médecine » est l'« art de prévenir et de soigner les maladies de l'homme* ». Mais le mot *medecine* en anglais et le mot *medicina* en espagnol ou en italien veulent dire « médicament ».

a) Observez les mots suivants.

Mots de 3 lettres : car - cri - gai - sol - usé

Mots de 4 lettres : date - gros - pour - slip

Mots de 5 lettres : crier - glace

Mots de 6 lettres : caméra - depuis - drogue - phrase - rester

Mots de 7 lettres : collège - journal - journée - verdure

Mot de 8 lettres : médecine

Mots de 9 lettres : librairie - pharmacie - physicien

Mot de 10 lettres : travailler

* *Dictionnaire du français*, de Josette Rey-Debove - CLE International/Dictionnaire Le Robert

b) Placez ces mots dans la grille ci-dessous.

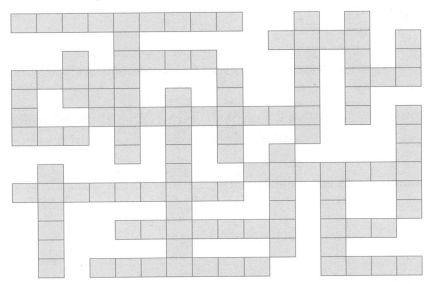

c) Choisissez deux mots qui ressemblent à des mots de votre langue. Ont-ils le même sens dans votre langue et en français ? **Vérifiez.**

■ 2. COMPRENDRE UN TEXTE SIMPLE ■

Lisez attentivement le texte ci-dessous.

(0) .... Une nouille de 180 m de long

Un (1) .... chinois, établi à Vienne, a battu (2) .... le record du (3) .... de la plus (4) .... nouille confectionnée à la (5) .... avec une nouille de 180 mètres. Shengli Shen, 42 ans, a battu du premier coup le (6) .... record du monde, établi en 1999 à Shanghaï avec une nouille de 55,5 m. Il a (7) .... être allé récemment en Chine pour (8) .... des dernières trouvailles en matière de nouilles auprès des (9) ....

La nouille (10).................... a été confectionnée à partir de 1,5 kg de (11) .... et a été servie à une (12) .... de convives.

La Montagne, 22/11/2004.

Complétez-le à l'aide des mots de l'encadré.

Ex. O : d = Chine

> **a** : monde - **b** : géante - **c** : pâte - **d** : Chine - **e** : cinquantaine - **f** : main - **g** : s'informer -
> **h** : précisé - **i** : longue - **j** : précédent - **k** : spécialistes - **l** : hier - **m** : cuisinier.

1 : ... - 2 : ... - 3 : ... - 4 : ... - 5 : ... - 6 : ... - 7 : ... - 8 : ... - 9 : ... - 10 : ... - 11 : ... - 12 : ...

Lisez le fait divers ci-dessous et complétez-le avec les mots de l'encadré.

 Lisez d'abord l'article et imaginez les mots qui manquent. Le contexte vous aide. Regardez ensuite les mots proposés. Correspondent-ils à vos hypothèses ?

FAIT DIVERS

PERDU DURANT 35 JOURS DANS UNE GROTTE

Un homme de 48 ans a été retrouvé .... mais .... vendredi 21 janvier dans une .... champignonnière* à Madiran (Hautes-Pyrénées), où il était perdu .... la mi-décembre.

Selon *La Dépêche du Midi*, qui a .... l'information, ce moniteur d'atelier dans un Centre d'aide par le travail (CAT) , ... de deux enfants et résidant à Vic-en-Bigorre, a voulu s'isoler le 18 décembre dernier suite à une période de déprime.

Il est d'abord .... dans la grotte avec son 4 × 4, a continué à pied et s'est ensuite perdu.

Pour survivre, il .... l'eau de la grotte, ... des bouts de bois et des boules de terre pour tromper la faim. Il s'enroulait dans de vieilles bâches en plastique pour s'isoler du froid.

Ce sont finalement trois .... de la région, partis explorer cette grotte .... d'accès, qui ont .... la voiture. Ils ont .... les gendarmes qui ont .... les recherches vendredi matin et ont .... par retrouver l'homme après une heure et demie d'exploration. Épuisé, amaigri, il a été .... à l'hôpital de Tarbes.

D'après *nouvelobs.com*, 24.01.05.

* cave, galerie souterraine souvent de plusieurs kilomètres où l'on cultive les champignons.

depuis - hospitalisé - épuisé - fini - découvert - vivant - commencé - a bu - publié - entré - lycéens - ancienne - interdite - averti - père - a mangé

Le « Vendée-Globe », né en 1989, est une course à la voile autour du monde et sans escale. Réservée aux navigateurs solitaires, elle se déroule tous les quatre ans.
Le départ et l'arrivée de la course ont lieu aux Sables-d'Olonne (Vendée).
Les concurrents passent par le cap de Bonne Espérance au sud de l'Afrique, le cap Leeuwin au sud de l'Australie et le cap Horn au sud de l'Amérique du Sud.
La navigatrice française Karen Leibovici est, depuis la création de l'épreuve, la 4e navigatrice qui termine la course.

a) Lisez ce début de dépêche.

Karen au Cap Horn - Dimanche 30 janvier 2005 - 17 h 21. Karen Leibovici (Benefic), 13ᵉ et dernière concurrente en course, vient de passer le Cap Horn avec beaucoup d'émotion ce matin à 9 h 30.

b) Complétez maintenant la suite de la dépêche avec les mots de l'encadré.

Vous avez déjà une petite idée du contenu de la dépêche. Avant de la lire, regardez bien les mots de l'encadré. Certains vous sont très familiers.
De quels mots s'agit-il : de noms, d'adjectifs ? Ils sont au masculin, au pluriel… ?

neige - rocher - Horn - montagnes - heureuse - soucis - mer - cœur - soleil - décor - rêve - émotion - verdure - noire

« Je vois le Cap .... C'est un gros .... avec de la .... et derrière, il y a les .... enneigées du Chili. Le .... tape dessus et illumine la .... La .... est très foncée, presque .... avec de l'écume blanche autour. C'est un .... magnifique. Je suis très émue, ..., contente, j'oublie tous mes .... C'est un ...., et aussi la fin d'une grosse partie du parcours. On va remonter vers le chaud. Je profite de ce moment. C'est une énorme .... J'en rêvais depuis des années, depuis l'âge de 15 ans. Je ne pensais pas que j'y arriverais un jour. Je dois beaucoup à tous ceux qui m'ont aidée, mes sponsors, que je remercie du fond du .... Sans eux, je n'aurais jamais connu cela. »

http://www.vendeeglobe.org

86 〉〉 Salomé Lelouch est actrice.
〉〉 C'est la fille de Claude Lelouch, metteur en scène
〉〉 français qui a réalisé le célèbre film
〉〉 « Un homme et une femme » en 1966.

Mettez de l'ordre dans la journée de Salomé Lelouch !

Pour retrouver la chronologie d'une journée, certains mots vous aident : *avant, après,* mais aussi les heures, les moments de la journée.

A. Puis je rentre me coucher, assez tard.

B. À 16 h 30, je vais chercher Rébecca, ma nièce, à la sortie de l'école.

C. L'après-midi, je prends mon vélo. J'habite dans le 1ᵉʳ arrondissement de Paris ; c'est bien, c'est plat. Je fais les vieux disquaires du Marais.

D. Je ne me lève jamais à la même heure.

E. Après, quand c'est fini, je retrouve des copains dans un restaurant ouvert la nuit.

F. Mais, tous les matins, j'écoute de la musique : soit la radio, soit des CD. Un jour Manu Chao, le lendemain, Frank Sinatra, Fred Astaire ou Renaud.

G. Je déjeune avec mes copains chez McDo ou dans une brasserie genre Chartier ou Chez Ladurée, à la Madeleine. J'aime les lieux chargés d'histoire avec de beaux décors.

H. Avant d'entrer en scène, le soir, je bois du Coca ou alors de la Volvic-citron. Je me maquille longuement, ça fait passer le trac, c'est comme un rituel de concentration.

I. Et le matin, je ne bois jamais la même chose. Un jour, c'est du café, le lendemain, du thé citron. Si j'ai le temps, je prends un bain, sinon, une douche.

D'après l'article d'Antoine SILBER, « Une journée avec Salomé Lelouch », *ELLE* n° 2983.

1 -	2 -	3 - ....
4 -	5 -	6 - ....
7 -	8 -	9 - ....

 《 2005 est l'année du 100ᵉ anniversaire de la mort de Jules Verne.
《 Célèbre écrivain français, considéré comme un des pères du roman
《 de science-fiction, il a écrit soixante-deux « Voyages extraordinaires ».
《 Une dizaine de ses œuvres sont très connues.

Chaque œuvre a été résumée ci-dessous en une phrase.
Retrouvez le titre de l'œuvre qui correspond à chaque résumé.

Résumés

a. Le « voyage autour du monde » de deux adolescents à la recherche de leur père.
b. Un envoyé du tsar fait un voyage dangereux de Moscou à Irkoutsk.
c. Une traversée de l'Afrique d'est en ouest à bord d'un ballon.
d. Un grand voyage dans un temps record.
e. Naufrage et survie sur une île du Pacifique.
f. Une exploration des profondeurs de la Terre.
g. Un voyage pittoresque et philosophique à travers la Chine.
h. Le voyage vers une autre planète d'un groupe d'Américains, rejoints par un Français.
i. Les héroïques aventures d'un jeune marin.
j. Un tour du monde sous-marin.

Titres

1. VOYAGE AU CENTRE DE LA TERRE
2. CINQ SEMAINES EN BALLON
3. LES TRIBULATIONS D'UN CHINOIS EN CHINE
4. LES ENFANTS DU CAPITAINE GRANT
5. LE TOUR DU MONDE EN 80 JOURS

6. VINGT MILLE LIEUES SOUS LES MERS
7. UN CAPITAINE DE 15 ANS
8. MICHEL STROGOFF
9. DE LA TERRE À LA LUNE/AUTOUR DE LA LUNE
10. L'ÎLE MYSTÉRIEUSE

a : ... – b : ... – c : ... – d : ... – e : ... – f : ... – g : ... – h : ... – i : ... – j : ...

Vous allez lire deux articles consacrés à deux femmes qui ont, l'une et l'autre, une profession ou une fonction un peu exceptionnelles ; l'une est pilote de chasse, l'autre dirige la gare du Nord à Paris. Mais les paragraphes des deux articles sont mélangés.

a) Retrouvez les trois paragraphes qui constituent chaque portrait. Remettez-les ensuite dans l'ordre.

> Pour retrouver l'ordre des paragraphes, certains mots vous aident.
> Par exemple, *aussi* ou *ensuite* indiquent qu'il y a quelque chose avant.

A. En à peine un mois et demi, elle a déjà fait le tour de tous les services et connaît presque tous les employés sur lesquels elle doit veiller, c'est-à-dire 3 000 personnes. Il est vrai que cette diplômée de l'École centrale ne s'économise pas.

B. Jeune femme charmante, tête bien remplie, Caroline Aigle est la première femme pilote de chasse en France. Elle est chef de patrouille à la base aérienne de Dijon.

C. C'est, selon elle, un métier qui ne peut être exercé qu'avec passion. D'une part parce qu'il est très dur d'y accéder, ensuite parce que la formation est longue et éprouvante (sept ans), enfin parce que la carrière ne dure pas au-delà de 40 ans.

D. Il y avait cinq candidats mais c'est elle qu'ils ont choisie. Pour son parcours dans l'entreprise depuis huit ans. Pour sa personnalité. Pour sa force de persuasion aussi, sans doute. À tout juste 32 ans, Séverine Lepère vient de prendre les commandes de la gare du Nord.

E. C'est aussi un milieu très exigeant – jusqu'à son arrivée, l'esprit de compétition régnait entre les seuls hommes qui y appartenaient – où elle s'est imposée naturellement. Sans doute pour une raison très simple : elle a fait ses preuves dans tous les domaines.

F. Une première à la SNCF ! « Avec 500 000 usagers quotidiens, c'est la gare la plus importante d'Europe et la troisième au monde après Chicago et Tokyo. Alors, nommer une femme de 32 ans, c'est un peu exceptionnel », explique-t-on à la direction.

Aujourd'hui en France, mardi 8 mars 2005.

Article 1 : .... / .... / ....
Article 2 : .... / .... / ....

b) Pourquoi le métier de pilote de chasse est-il particulièrement exigeant ?

Retrouvez les trois raisons données dans le texte. _____

_____

_____

c) Le journaliste ne répète pas les noms des deux femmes, il utilise plusieurs fois le pronom « elle ». Mais il utilise aussi une autre expression.

Retrouvez-la dans le paragraphe A. _____

> **ÉCONOMISER** [ekɔnɔmize] verbe [conjugaison 1a] **1.** Ne pas dépenser (tout son argent), en garder une partie. *Elle économise une petite somme chaque mois pour s'acheter une voiture.* → **épargner.** (contraire : dépenser) **2.** Dépenser peu, ne pas trop consommer. *Il faut économiser l'énergie.* (contraire : gaspiller) – *Économise tes forces, tu en auras besoin.*

> **COMMANDE** [kɔmɑ̃d] n. f. ▪ *UNE COMMANDE* **1.** Ordre par lequel un client demande une marchandise ou une consommation. *J'ai PASSÉ UNE COMMANDE de livres chez le libraire. Le serveur PREND LES COMMANDES des consommateurs. Le vendeur remplit le BON DE COMMANDE. Ce produit n'est disponible que SUR COMMANDE,* que si on le commande. **2.** Marchandise commandée. *Votre commande est arrivée.* **3.** Mécanisme qui sert à diriger un véhicule, à faire fonctionner un appareil. *Le pilote est aux COMMANDES de l'avion.* – *Où est la commande à distance du téléviseur ?* → **télécommande.**
> ── FAUX AMI ──
> anglais **command** « ordre » ; russe **команда** « équipe »

> **COMMANDER** [kɔmɑ̃de] verbe [conjugaison 1a] **1.** Être le chef de. *César commandait l'armée romaine.* → **conduire, diriger.** – *Le général COMMANDE à ses troupes. Il a l'habitude de commander. Qui est-ce qui commande ici ?* **2.** *COMMANDER DE* : donner l'ordre de. *Le professeur commande de se taire.* → ② **ordonner.** **3.** Demander en passant une commande. *Elle va commander une caisse de champagne par correspondance. Avez-vous commandé les desserts ?* **4.** Faire fonctionner. *Dans une voiture, la pédale du milieu commande les freins.*
> ── FAUX AMI ──
> anglais **to command** ne s'emploie pas pour les sens 2, 3 et 4.

> **IMPOSER** [ɛ̃poze] verbe [conjugaison 1a]
> **I. 1.** Faire payer un impôt à (qqn). *L'État impose les contribuables sur leurs revenus.* → **taxer. 2.** Faire subir, faire accepter par force, par autorité. *Le vainqueur a imposé ses conditions au vaincu.* → **dicter.** *Je ne vous imposerai pas ma présence plus longtemps.* → **infliger.** *Il est arrivé à imposer ses idées, à les faire accepter.* **3.** *EN IMPOSER* : faire une forte impression, commander le respect. *Il est très autoritaire et EN IMPOSE À tout le monde.* → **impressionner.** *Son courage en impose.*
> **II.** verbe pronominal *S'IMPOSER* **1.** (qqn) Se faire admettre, se faire reconnaître par sa valeur. *Elle s'est imposée à la tête de l'entreprise par sa compétence.* **2.** (qqn) Imposer sa présence. *Je ne voudrais pas m'imposer, vous importuner.* **3.** (qqch.) Être nécessaire. *Après ces mois de travail, des vacances s'imposent. Prenons les mesures qui s'imposent.* **4.** S'obliger à. *Ils se sont imposé beaucoup de sacrifices pour élever leurs enfants.*

> **PREUVE** [pʀœv] n. f. ▪ *UNE PREUVE* **1.** Ce qui prouve qu'une chose est vraie. *Donnez-nous une preuve de votre innocence. J'ai la preuve de sa culpabilité. Il a menti, j'en ai la preuve. Vous n'avez aucune PREUVE CONTRE MOI! Il a démontré l'erreur, PREUVES EN MAIN,* en la prouvant avec des éléments matériels. *Je croirai à son innocence JUSQU'À PREUVE DU CONTRAIRE,* jusqu'à ce qu'on me prouve qu'il n'est pas innocent. **2.** Acte qui montre qu'un sentiment est sincère. *Donne-moi une preuve d'amour : fais qqch. qui prouve que tu m'aimes.* **3.** (en incise) *LA PREUVE* : ce qui prouve qu'une chose est sûre. *C'est toi qui as fait cette bêtise, la preuve, tu as rougi.* **4.** *FAIRE PREUVE DE* (une qualité) : montrer que l'on a une qualité. *Il a fait preuve de courage, après l'accident.* **5.** *FAIRE SES PREUVES* : prouver sa valeur, montrer ce que l'on sait faire. *Avant d'avoir des responsabilités, il faut faire ses preuves.* **6.** Opération qui permet de vérifier le résultat d'une autre opération. *Pour vérifier qu'une multiplication est juste, on fait la preuve par 9.*

Dictionnaire du français, de Josette Rey-Debove - CLE International/Dictionnaire Le Robert.

a) Relisez les paragraphes de l'activité 88.
Que signifient les expressions suivantes ?
Lisez les définitions du dictionnaire et cochez les réponses correctes.

> Faites bien attention au contexte. Un mot a souvent plusieurs sens.
> Retrouvez le sens qui convient dans la phrase du texte.

1. Elle ne s'économise pas. (Activité 88, § A)
   a) Elle dépense beaucoup d'argent. ☐
   b) Elle limite ses efforts. ☐
   c) Elle dépense beaucoup d'énergie. ☐

2. Elle vient de prendre les commandes de la gare du Nord. (Activité 88, § D)
   a) Elle reçoit les ordres des clients. ☐
   b) Elle dirige tous les employés. ☐
   c) Elle s'occupe du service des marchandises. ☐

b) Trouvez dans le dictionnaire le sens des deux expressions suivantes.

Elle s'est imposée : ....

Elle a fait ses preuves : ....

90 Lisez les informations ci-dessous.
Redonnez un titre à chacune.

> Observez chaque titre. Repérez le(s) mot(s) du titre et recherchez dans les articles un ou des mots semblables, voisins, synonymes.

◀ Titres ▶

A. Temps de chien
B. Les poubelles de la discorde
C. Les dents de la mer
D. Cars à l'arrêt
E. Manif pour la maternité
F. Enfants rois
G. De la nouveauté dans l'air
H. Trésor médiéval
I. Explosif !

Articles

1. Le personnel médical du centre hospitalier d'Amboise a manifesté hier soir pour la réouverture de la maternité. Élus, mères de famille, personnel médical et syndicats demandent toujours que des médecins gynécologues soient recrutés et que soient offerts les moyens matériels et humains à l'établissement. La maternité a dû fermer en août, confrontée à la pénurie de spécialistes.

2. Les transports scolaires devraient être perturbés jusqu'en fin de semaine dans l'Aisne. Depuis lundi, la majorité des 280 chauffeurs de la régie des transports de l'Aisne (RTA) sont en grève. Ils réclament une hausse des salaires. La direction propose d'augmenter de 5 % les plus bas salaires et de maintenir le pouvoir d'achat pour les autres.

3. Une bombe de 500 livres de type GP américaine, contenant 100 kg d'explosif et datant de la Seconde Guerre mondiale, sera désamorcée ce matin. L'engin a été découvert à demi enterré dans le bois de Valanglard, près de Moyenneville (Somme), par des agents forestiers. Un tronçon de la A28 et plusieurs routes secondaires seront interdits à la circulation de 9 à 13 heures. Un périmètre de sécurité de 800 m sera mis en place.

4. Les 1 100 employés de l'usine Masterfoods de Saint-Denis-de-l'Hôtel (Loiret) sont inquiets. Cette filiale de Mars envisage de supprimer 1 070 postes en Europe et 250 emplois sont menacés en France, notamment dans le domaine de l'alimentation pour chiens. La société produit des confiseries (M & M's, Mars ou Twix), des produits Uncle Ben's et des aliments pour animaux (Whiskas, Pedigree…).

5. Les habitants de la cité des Champs-Plaisants à Sens (Yonne) trouvent leur quartier de moins en moins plaisant… Le propriétaire a condamné les locaux des vide-ordures et installé les poubelles devant les immeubles. Officiellement pour juguler les problèmes de feux de poubelles. Mais entre les conteneurs renversés et ceux victimes… d'incendies volontaires, les locataires ne tiennent plus.

6. Dès la semaine prochaine, les liaisons aériennes avec Nice et Marseille seront exclusivement assurées par des appareils de la compagnie Corse-Méditerranée avec un ATR-72. Vers Paris, un Airbus A-320 (168 sièges) sera mis en service, offrant 18 sièges supplémentaires sur chaque vol. La CCM propose 4 allers-retours quotidiens vers Nice et Marseille et 5 allers-retours hebdomadaires vers la capitale.

7. Alors qu'il travaillait sur un chantier de terrassement à Courtisols (Marne), un ouvrier a découvert au milieu d'un tas de terre une cruche en céramique contenant près d'un millier de pièces en argent remontant vraisemblablement au XIIe siècle. Les spécialistes estiment qu'il pourrait s'agir d'économies cachées puis oubliées par les propriétaires. La découverte est qualifiée de majeure.

8. Depuis dimanche, Reims (Marne) accueille la 16e édition du festival Méli'môme. Jusqu'au 8 avril, plus de 200 spectacles pour enfants sont programmés ainsi que des conférences et ateliers pour les parents.

9. Deux requins ont été pêchés au large de la Corse le même jour. Le premier, long de 3,50 m pour 400 kg, a été pris dans les filets d'un pêcheur, à 80 m de profondeur, au large de l'Île-Rousse (Haute-Corse). Le second, un requin pèlerin de 6 m de long pour un peu plus de 2 tonnes, a été capturé dans des filets à langoustes, à plus de 100 m de profondeur, au large de Senetosa, aux environs de Tizzano, par des pêcheurs de Propriano (Corse du Sud).

Aujourd'hui en France, mars 2005.

1	2	3	4	5	6	7	8	9

Relisez les articles de l'activité 90.
Lisez les affirmations suivantes.
Cochez la bonne réponse.

Faites attention aux temps des verbes : c'est un événement passé, actuel, futur ?

	Vrai	Faux
Article 1 : La maternité de l'hôpital d'Amboise a rouvert en août.	○	○
Article 2 : Les salaires de tous les chauffeurs vont être augmentés.	○	○
Article 3 : La bombe ne sera plus dangereuse.	○	○
Article 4 : La société a supprimé un millier de postes en Europe.	○	○
Article 5 : Les poubelles posent des problèmes aux habitants des immeubles.	○	○
Article 6 : La CCM ne sera pas la seule compagnie à assurer les vols Paris-Nice et Paris-Marseille.	○	○
Article 7 : On a trouvé, par hasard, un grand nombre de pièces anciennes.	○	○
Article 8 : Toutes les manifestations du festival Méli'môme sont réservées aux enfants.	○	○
Article 9 : Les deux requins ont été pêchés au large de la même région de Corse.	○	○

2. COMPRENDRE LA CORRESPONDANCE

■ 1. Les petits messages ■

92 Observez ces messages.

Avis de passage

Recensement de la population
Enquête de 2004

Madame, Monsieur,

Je me suis présenté(e) à votre domicile pour :
☒ vous remettre les imprimés du recensement ;
☐ reprendre les imprimés que je vous ai précédemment remis.

Je n'ai pas pu vous rencontrer ; je passerai de nouveau le :
jeudi 19 février 2004 vers 15h00
Si ce rendez-vous ne vous convient pas, je vous remercie de bien vouloir m'indiquer le jour et l'heure où je pourrai vous rencontrer.

Je vous prie d'agréer, Madame, Monsieur, l'assurance de ma considération distinguée.
Mes coordonnées : M Patrick Dubois tél. : 04. 73. 63. 10. 10

Pour tout renseignement, vous pouvez vous adresser à la mairie.

RECENSEMENT
DE LA
POPULATION

Imprimé n°22

Serbannes

Dimanche 1er mai 2005

❄❄❄❄❄❄❄❄❄❄❄❄

❄ **Randonnée du muguet** ❄

❄❄❄❄❄❄❄❄❄❄❄❄

Organisée par l'Amicale laïque

3 circuits

	Marche	VTT	
8 Km	9h à 14h		2 €
12 Km	9h à 14h	9h à 14h	3 €
20 Km	9h à 11h30	9h à 13h	5 €

Ravitaillement sur tous les parcours

Départ et inscriptions: salle polyvalente

Renseignements – tel: 04 70 32 61 15 ou 04 70 32 56 95

Réservez votre soirée du 25 juin 2005:
Randonnée au clair de lune de l'Amicale laïque

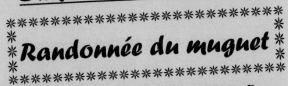

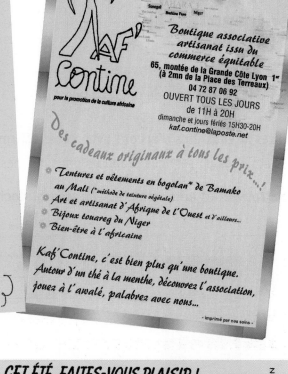

Kaf' Contine
pour la promotion de la culture africaine

Boutique associative
artisanat issu du
commerce équitable
65, montée de la Grande Côte Lyon 1er
(à 2mn de la Place des Terreaux)
04 72 87 06 92
OUVERT TOUS LES JOURS
de 11H à 20H
dimanche et jours fériés 15H30-20H
kaf.contine@laposte.net

Des cadeaux originaux à tous les prix...!

❋ Tentures et vêtements en bogolan* de Bamako
au Mali (* méthode de teinture végétale)
❋ Art et artisanat d'Afrique de l'Ouest et d'ailleurs...
❋ Bijoux touareg du Niger
❋ Bien-être à l'africaine

Kaf' Contine, c'est bien plus qu'une boutique.
Autour d'un thé à la menthe, découvrez l'association,
jouez à l'awalé, palabrez avec nous...

- imprimé par nos soins -

DIMANCHE 3 AVRIL 2005

14 H

PARC DU SOLEIL

(Avenue de France)

GRAND LOTO

LOCATION "les pieds dans l'eau" à
Ste Marie vers Perpignan
(7 jours pour 4 personnes)

Lecteur DVD - TV couleur -
VULCANIA.... de nombreux lots : Jambon,
électroménagers, paniers garnis, bons d'achat ...

LOTO CORSE - PARTIE ENFANTS GRATUITE
vous ne serez pas déçus...

Renseignements : 04 78 59 84 62

Quartier de France
à Croix St Martin

Carton pour toutes
les parties 2 €

CET ÉTÉ, FAITES-VOUS PLAISIR !
FAITES DE LA MUSIQUE !

COURS PIANO
SAXOPHONE
SYNTHÉ

téléphonez au
04.73.36.12.00

Laurent Buczek, 8 Bd J-B. DUMAS 63000 CL-FD

Ne pas jeter sur la voie publique. S.V.P

à côté de la
Maison des Sports

Madame, Monsieur,

Particulier, je cherche à acheter dans votre résidence un appartement type T3 ou T4, étage élevé, ensoleillé, balcon ou terrasse, avec parking ou garage indispensable.

Si cette offre vous intéresse actuellement ou à moyen terme, merci de me contacter au :

05 78 08 18 39 ou au 06 60 59 08 11

Pour répondre aux questions, écrivez le ou les numéro(s) des messages, comme dans l'exemple.

a) Indiquez quel(s) message(s) concerne(nt) :

- une activité de loisirs : 5, —————————
- un commerce : —————————————
- une proposition de service : ——————
- une demande de service : ——————————
- une proposition de rendez-vous : ————

b) Indiquez dans quel message :

- on précise une date : —————————
- on donne une adresse : ———————————
- on indique des heures de rendez-vous ou de travail : ——————
- on indique qu'on peut gagner un prix : —————————————————————

c) Dites si vous êtes d'accord avec cette affirmation :

« Les activités ou services proposés dans les messages 3, 4, 5 et 6 sont gratuits. »   oui ❑   non ❑

d) Retrouvez les auteurs de ces messages. Cochez la bonne case.

	Une association	Un particulier	La mairie	Des artisans
Message 1				
Message 2				
Message 3				
Message 4				
Message 5				
Message 6				
Message 7				

■ 2. Les lettres formelles ■

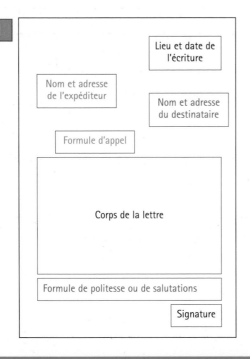

La *formule d'appel* dépend de la relation qui existe entre l'expéditeur et le destinataire.
Dans une lettre formelle, c'est généralement : « Madame, Monsieur ».
Mais on veut parfois créer une relation plus proche avec le destinataire et l'on dit alors « Cher... ».
La *formule de politesse* (ou de salutation) reprend souvent les mots de la formule d'appel ou utilise des mots qui rappellent le ton de cette formule et traduisent la relation expéditeur-destinataire. Elle est aussi en relation avec l'objet de la lettre, d'où des mots comme « dans cette attente », par exemple.

Observez ces quatre lettres.

1

Madame,

Afin de compléter votre dossier, je vous demande de me fournir :

– la photocopie de votre titre de séjour en cours de validité,

– la date à laquelle vous avez quitté votre logement du Puy-de-Dôme (en effet, la CAF de Clermont-Ferrand a versé l'aide au logement jusqu'au 30/09/2004).

2

Mademoiselle,

Nous vous remercions de la confiance que vous nous témoignez à l'occasion de l'ouverture de votre compte.

Comme vous le savez, il vous permettra de bénéficier des multiples conseils et services du Crédit Lyonnais pour gérer votre argent au quotidien et, aussi, vous accompagner dans la réalisation de vos projets.

Mes collaborateurs et moi-même sommes à votre disposition, et plus spécialement JACQUES DOULCET, votre interlocuteur dans l'agence qui, si vous le souhaitez, répondra aux questions que vous vous posez.

Vous trouverez, ci-joint, 3 relevés d'identité bancaire (RIB). D'autres exemplaires vous seront remis sur simple demande de votre part.

3

Claire,

Vous nous avez demandé de la documentation pour intégrer directement l'IFAG en admission parallèle.

C'est pourquoi nous vous envoyons la documentation correspondant au programme exact pour votre intégration directe en seconde année.

Vous avez 8 mois de formation uniquement et ensuite l'objectif est de décrocher un emploi salarié CDD ou CDI. Vous remarquerez qu'en dernière année vous ne venez que deux jours par mois à l'IFAG pour faire des séminaires de spécialisations. À la sortie, vous obtenez un bac + 5.

L'IFAG délivre un titre homologué niveau II.

4

> Cher(e) Sociétaire,
>
> Nous vous rappelons que les pouvoirs publics ont rendu obligatoire, avant le quatrième anniversaire de leur mise en circulation, le contrôle technique de tous les véhicules automobiles de moins de 3,5 tonnes.
>
> Vous êtes parmi les sociétaires de la Matmut qui devront s'acquitter de cette obligation en 2005, au titre du premier contrôle technique devant être subi par leur véhicule : la marque et le numéro d'immatriculation de votre véhicule concerné par ce contrôle sont inscrits en haut et à gauche de cette lettre.

a) Retrouvez l'expéditeur et l'objet de chaque lettre. Reliez les éléments du tableau.

Lettre n°	Expéditeur	Objet
1	**A** IF△G	a. Demande de renseignements
2	**B** Matmut	b. Remerciements et offre de services
3	**C** CREDIT LYONNAIS	c. Rappel d'une obligation
4	**D** CAISSE D'ALLOCATIONS FAMILIALES DE L'ALLIER 9-11, rue Achille Roche 03013 MOULINS CEDEX	d. Réponse à une demande d'information

1. ...... / ......   **2.** ...... / ......   **3.** ...... / ......   **4.** ...... / ......

b) À quelles lettres appartiennent ces formules de politesse ? **Indiquez-le dans le tableau.**

A. Dans l'attente de votre dossier,
   Très sincèrement,

B. Restant à votre disposition,

C. Vous en souhaitant bonne réception, nous vous prions d'agréer, Mademoiselle, l'expression de nos salutations distinguées.

D. Nous vous prions d'agréer, Cher(e) Sociétaire, l'expression de nos sentiments les meilleurs.

A	B	C	D

94 ⊖ Les <u>formules d'appel</u>, les <u>formules de politesse</u> accompagnées de la <u>signature</u> de l'expéditeur et enfin les <u>corps de la lettre</u> des quatre lettres circulaires* qui suivent ont été mélangés.

a) Associez la formule d'appel qui ouvre chaque lettre à la formule de politesse qui la termine.

> Les formules de politesse reprennent-elles les mots des formules d'appel ? En rappellent-elles le ton ? Comment traduisent-elles la relation entre l'expéditeur et le destinataire ?

---
* Lettre circulaire : lettre identique envoyée à plusieurs personnes en même temps.

FORMULES D'APPEL

A. Chers amis.

B. Cher Adhérent,

C. Madame, Mademoiselle, Monsieur,

D. Cher Client,

FORMULES DE POLITESSE

1   Je vous souhaite un très bel été.

       Cordialement.

                             Directeur Commercial

2   Faites, vous aussi, vivre la musique classique et rendez-vous vite dans votre   Fnac : pour les Victoires de la Musique Classique, c'est à vous de donner le «la».

       Musicalement vôtre,

                     Directrice Adhésion

3   Nous espérons nous retrouver très nombreux à cette occasion et vous assurons de notre amical dévouement.

4   Veuillez agréer, Madame, Mademoiselle, Monsieur, l'assurance de notre considération distinguée.

     La gestionnaire   La responsable locale de
                                              l'ISBA,

A	B	C	D

---

* On peut être adhérent — c'est-à-dire membre — d'une association, d'un parti politique, d'un syndicat mais aussi d'une entreprise de service. Dans ce cas, on profite de certains avantages : réductions, offres spéciales.

b) 1. Lisez les corps des lettres.

LETTRE 1

15 ans déjà !
Ça se fête...

Saoû, le 23 avril 2004

...............................,

Le 15 avril 1989, étaient déposés à la Sous-préfecture de Die les statuts d'une *association dénommée 'Saoû chante Mozart"* dont le but est d'organiser des manifestations artistiques autour de la musique de W. A. Mozart. Quinze ans d'une bien belle aventure. Nous ne pouvions pas ne pas fêter entre nous cet anniversaire.

Nous vous donnons rendez-vous

le mercredi 19 mai (veille de l'Ascension)
à 12 h 30

à la Salle des fêtes de Saoû *(ou sous les platanes devant la Mairie si le temps le permet).*

LETTRE 2

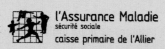 l'Assurance Maladie
sécurité sociale
caisse primaire de l'Allier

Santé Prévention

CENTRE D'EXAMENS DE SANTÉ

OBJET : BILAN DE SANTE

...............................,

Votre Caisse Primaire d'Assurance Maladie vous propose de faire le point sur votre état de santé actuel en vous invitant à un **bilan de santé gratuit**.

Ces examens peuvent se dérouler à Moulins ou à Montluçon, mais une indemnité de frais de déplacement vous sera versée si vous êtes éloigné des Centres d'Examens de Santé.

Inscrivez-vous en retournant, sous enveloppe timbrée, le coupon-réponse à l'adresse suivante :

CENTRE D'EXAMENS DE SANTÉ I. S. B. A. :
2, place Maréchal de Lattre de Tassigny - 03000 MOULINS
☎ : 04.70.48.44.37   Fax : 04.70.48.44.36

LETTRE 3

"MaLigne MAGAZINE"

ma**ligne**
je peux tout lui demander.

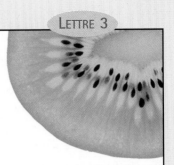

Croquez l'été à pleines dents grâce à MaLigne !

M. Alain MARTY
31, Boulevard de la Plage
44500 LA BAULE

..............................,

Grâce à votre forfait France Télécom, votre été s'annonce plus surprenant et innovant que jamais !
Pour vous remercier de votre confiance, j'ai le plaisir de vous adresser votre nouveau numéro de MaLigne Magazine qui vous a concocté **un véritable cocktail d'avantages.**

LETTRE 4

LES VICTOIRES DE LA MUSIQUE CLASSIQUE

Faites entendre votre voix !

fnac.com

5150789130001122070

M. Gabriel CORDEBAR
3, square Matisse
28000 CHARTRES

..............................,

Partenaire de toutes les musiques, **la Fnac vous invite à participer activement aux Victoires de la Musique Classique,** le grand rendez-vous des amateurs de musique classique, qui se déroulera le 26 janvier prochain, au Palais des Festivals de Cannes.

Grande nouveauté cette année, du 27 décembre au 15 janvier, **la Fnac vous offre le DVD du concert réunissant les artistes nommés** dans la catégorie Révélations.

Ce Concert des Révélations, filmé en l'Église Saint-Louis des Invalides, vous permettra non seulement de découvrir les artistes classiques de demain, mais aussi de participer activement aux Victoires de la Musique Classique en votant pour l'artiste «Révélation» de votre choix grâce au bulletin inclus dans le DVD.

2. À quelle lettre correspond chaque affirmation du tableau ?

Cochez les bonnes cases.

⚠ **Attention !** *Une phrase peut convenir à plusieurs lettres.*

	Lettre 1	Lettre 2	Lettre 3	Lettre 4
1. C'est la lettre d'un organisme public.	☐	☐	☐	☐
2. C'est une lettre d'invitation.	☐	☐	☐	☐
3. C'est une lettre qui accompagne l'envoi d'un magazine.	☐	☐	☐	☐
4. C'est la lettre d'une association.	☐	☐	☐	☐
5. C'est une lettre publicitaire	☐	☐	☐	☐
6. On vous propose un examen de santé gratuit.	☐	☐	☐	☐
7. On vous offre un disque	☐	☐	☐	☐
8. Si l'offre vous intéresse, vous devez répondre.	☐	☐	☐	☐

c) Recomposez maintenant les quatre lettres.

Reportez ci-dessous vos réponses à la question a), page 88.

⚠ Une lettre = la formule d'appel + le corps de lettre + la formule de politesse et la signature.

Lettre 1 : .... - ....

Lettre 2 : .... - ....

Lettre 3 : .... - ....

Lettre 4 : .... - ....

95 Observez le document de la page 93.

Répondez aux questions.

⊙ Qui est l'expéditeur ? _____

⊙ Qui est le destinataire ? _____

⊙ À quelle occasion cette lettre a-t-elle été envoyée ? _____

_____

⊙ Dans quel(s) but(s) ?

informer ☐   proposer un service ☐   inviter ☐   vendre un produit ☐   avertir ☐

⊙ Qui est Séverine Lopez ? _____

⊙ Deux expressions introduisent une suggestion ou un ordre poli. **Relevez-les.**

_____

⊙ Une phrase indique qu'un document accompagne la lettre. **Relevez-la.**

_____

MAIRIE DU 1ER
JOURNEE SANS MA VOITURE

Madame, Monsieur,

Dans le cadre de la journée Quartiers sans ma voiture, les rues des Pierres Plantées et la petite rue des Feuillants seront fermées à la circulation automobile le :

mercredi 22 septembre de 10h00 à 18h00.

Cette initiative propose tout simplement aux habitants d'apprécier un quartier plus calme et un espace public dévolu à d'autres usages que la voiture.

Nous recommandons aux riverains de bien vouloir prendre toute disposition pour éviter ces rues et de profiter pleinement des petites animations commerciales et sportives.

Pour plus de précautions, si le passage par la rue des Pierres Plantées vous est indispensable pour accéder à votre garage, veuillez retirer au poste de police municipale – 23 rue des Capucins – un laissez-passer valable uniquement pour cette journée.

Pour toutes informations complémentaires, veuillez joindre en Mairie du 1er,
Séverine LOPEZ - ☎ 04 72 98 54 15.

Vous trouverez, ci-joint, les rendez-vous à ne pas manquer.

Nous vous prions d'agréer, Madame, Monsieur, nos meilleures salutations.

Nathalie PERRIN-GILBERT   Françoise BESNARD
Maire du 1er arrondissement   Adjointe au Cadre de Vie

§ IKEA, spécialiste de l'ameublement, était à sa création, en 1943, une petite
§ entreprise du sud de la Suède. Aujourd'hui, c'est un groupe international.

Associez chaque texte à un pictogramme.

> Dans un document à caractère publicitaire ou informatif, l'illustration (le dessin, le pictogramme, le logo…)
> aide à comprendre le sens du message.
> Vous comprenez la plupart des pictogrammes du tableau. À quels mots, à quelles idées vous font-ils penser ?

1. www.IKEA.fr Accéder 24 h/24 h à toutes sortes d'informations sur les magasins et les produits.	A ♿
2. Vente à distance. Du lundi au samedi, de 9 h à 19 h, des conseillers de vente vous accueillent et vous guident dans votre choix.	B 🎁
3. Conseil en aménagement. Pour meubler un logement complet, bénéficiez gratuitement des conseils d'un vendeur. Sur rendez-vous.	C 🚚
4. Liste de cadeaux pour tous les heureux événements de la vie.	D 🍴
5. Pour goûter une spécialité scandinave, dégustez le plat du jour ou une pâtisserie au restaurant.	E 👜
6. Chaque magasin dispose d'un fauteuil en prêt pour la durée de votre visite.	F ♻
7. Pour des raisons d'hygiène et de confort, seuls les chiens guides d'aveugle sont autorisés dans notre magasin.	G 🖱
8. Nous proposons en caisse de grands sacs bleus résistants et réutilisables à 0,60 €/pce et des sacs papier à 0,20 €/pce pour emporter vos petits achats. Merci de contribuer à limiter les déchets en diminuant le gaspillage.	H 💻
9. Si votre voiture est trop petite, nous proposons la location d'une camionnette pour quelques heures. Pour vous faire livrer, adressez-vous au service Transport du magasin qui vous communiquera les tarifs.	I 🏠
10. Recyclage. Des collecteurs de piles et d'ampoules fluo usagées sont à votre disposition dans tous les magasins IKEA.	J 🐕

Catalogue IKEA.

1	2	3	4	5	6	7	8	9	10

37 Vous êtes en vacances avec vos deux enfants dans la région de Montpellier.
Vous allez retrouver des amis à Montauban.
Une amie française apprend votre projet. Elle vous donne cette fiche, trouvée dans son magazine.

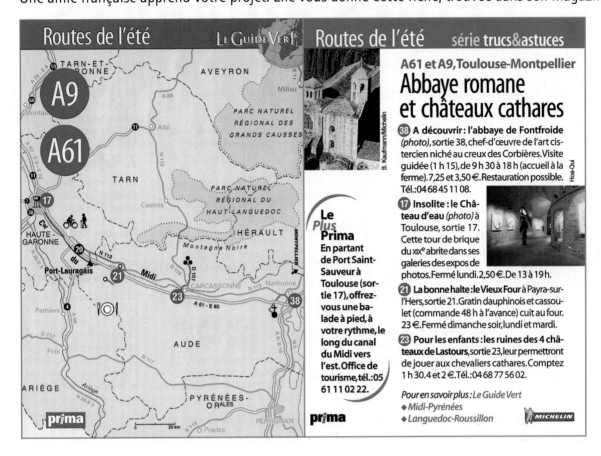

a) À quoi correspondent les sorties d'autoroute suivantes :

N° 17 : _____   N° 23 : _____

N° 21 : _____   N° 38 : _____

b) Répondez aux questions.

■ Quels monuments et lieux pourrez-vous visiter ? _____
_____

■ Combien vous coûteront ces visites pour toute la famille ? _____
_____

■ Où pourrez-vous déjeuner ? _____

■ Pour déguster un cassoulet, spécialité de la région.
   ■ Quel(s) jour(s) pourrez-vous choisir de faire le voyage ? _____
   _____

   ■ Que devrez-vous faire deux jours avant ? _____

Petites annonces

**Vous voulez échanger des services, offrir votre soutien, demander de l'aide ?
Écrivez-nous ou envoyez un message à petitesannonces@femmeactuelle.fr**

Jetons à foison

Je collectionne tous types de jetons de chariots de supermarché et propose d'échanger les doubles.
Jean-Marie Lenain, 12, Rés. des Jardins Fango, Bât. D, 20200 Bastia

1. Numismate en herbe

Je manque de documentations sur les pièces françaises et étrangères qui me permettent d'aborder l'histoire et la géographie. Merci de me faire profiter de vos connaissances.
Mme Christiane Dewaer, 20, rue Jules-Ferry 82270 Montpezat-de-Quercy

2. Echange franco-italien

Italienne de 21 ans, j'étudie le français à Padoue. J'aimerais correspondre avec vous pour progresser.
Laura Regelia, via Brera, 57, 36034 Malo (VI) Italia.

3. Partageons nos rires

Je collectionne les histoires drôles, devinettes… Je compte sur vous.
Lila Morteau, 74, rue des Combes 01000 Bourg

4. Cigares, cigarettes

Par manque de place et de temps, mon fils offre à un amateur sa collection de paquets de cigarettes et boîtes de cigares français et étrangers.
E. Cail, 35, rue de la Mairie 13570 Barbentane

5. Faire son savon

Je recherche la méthode de fabrication du savon. J'enverrai une carte à tous ceux qui voudront bien me répondre.
Claire Bauchant, Les Brévis 18140 Herry

6. Le langage des signes

Je souhaite apprendre le langage des signes. Si vous avez des documents pouvant m'aider, je serais très heureuse de les recevoir.
Hélène Jourdan, 11, rue Blin 93100 Montreuil.

7. Voyage à la carte

Je collectionne les cartes postales de tous les pays, ce qui me permet de voyager en rêve. Merci.
Françoise Durand, 3, rue des oiseaux 17230 Andilly.

8. Passion du cirque

Je collectionne les coupures de presse, les affiches, les programmes de cirque et tout ce qui a trait aux clowns. En échange, je vous offre des dessins.
François Frieh, 144, rue de la Scellerie 37000 Tours.

Qu'est-ce que ces personnes recherchent ou offrent ? Dans quel but ?
Est-ce qu'elles proposent ou demandent quelque chose en échange ?
Notez vos réponses dans le tableau.

	L'auteur de l'annonce				
Annonce	Recherche	Offre	Pour / Parce que	Propose ou demande quelque chose en échange	
				oui	non
Exemple	des jetons de chariots de supermarché		pour compléter sa collection	propose d'échanger les doubles	
1					
2					
3					

4				
5				
6				
7				
8				

99 Observez ces annonces et répondez aux questions, page suivante.

Les Volcaniques de Mars
(festival rock)
Jusqu'au 20 mars 2005,
à Clermont-Ferrand.
Renseignements :
http://www.inforockauvergne.com

Vidéoformes
(festival international
d'art vidéo et multimédia)
Du 15 au 19 mars 2005,
à Clermont-Ferrand.
Renseignements : 04 73 17 02 17
http://www.vidéoformes.com

Les Arts en balade
Du 23 au 27 mai 2005,
à Clermont-Ferrand
et aux environs.
Renseignements : 04 73 93 85 57
http://www.artsenbalade.com

Festival de Gannat "Les cultures du monde"
(folklore)
Du 22 au 31 juillet 2005,
à Gannat (03).
Renseignements : 04 70 90 12 67
http://www.gannat.com

Festival international de théâtre de rue
Du 17 au 20 août 2005,
à Aurillac (15).
Renseignements : 04 71 43 43 70
http://www.aurillac.net

Festival de musique de La Chaise-Dieu
(musique classique)
Du 18 au 29 août 2005,
à La Chaise-Dieu (43).
Renseignements : 04 71 09 48 28
http://www.chaise-dieu.com

Fêtes renaissance du Roi de l'oiseau
Du 14 au 18 septembre 2005,
au Puy-en-Velay (43).
Renseignements : 04 71 02 84 84
http://www.roideloiseau.com

Biennale du carnet de voyage
Du 18 au 20 novembre 2005,
à Clermont-Ferrand.
Renseignements : 04 73 35 07 30
http://www.biennale-carnetdevoyage.com

Festival international du court-métrage
Début février en général,
à Clermont-Ferrand.
Renseignements : 04 73 91 65 73
http://www.clermont-filmfest.com

Pour les bons plans, allez donc faire un tour sur :
http://cyberbougnat.net

a) Où irez-vous, à quelle(s) date(s), et quel site Internet consulterez-vous si vous aimez :

- les voyages,
- le folklore,
- l'art,
- le cinéma et les courts métrages,
- le théâtre de rue,
- le rock,
- la vidéo,
- la musique classique.

b) Complétez le tableau.

Vous aimez	Vous allez à	Date(s)	Vous consultez le site
Ex. *Les fêtes anciennes*	*Le Puy-en-Velay*	*Du 14 au 18 septembre 2005*	*www.roideloiseau.com*
1. les voyages			
2. le folklore			
3. l'art			
4. le cinéma et les courts-métrages			
5. le théâtre de rue			
6. le rock			
7. la vidéo			
8. la musique classique			

■ 2. Dans un sommaire ■

100 Vous voulez faire des achats par correspondance à la Camif.
Le sommaire du catalogue liste un certain nombre de rubriques.
Sous quelle rubrique trouverez-vous les objets que vous voulez acheter ?

> Quand on cherche un objet dans un catalogue ou un service dans un annuaire, il faut souvent chercher dans plusieurs directions.
> Ce que l'on pense trouver dans une rubrique se trouve dans une autre !
> Ex. Si l'on veut téléphoner à la gare, il faut chercher « SNCF ».

CAMIF SOMMAIRE

Mode.sport.beauté p.10>263

Plein air .... p. 10
Femme .... p. 44
Enfant .... p. 142
Homme .... p. 164
Soins du corps .... p. 224
Matériel de sport .... p. 234

Linge de maison. literie p. 264>405

Linge de lit .... p. 264
Linge de toilette .... p. 346
Linge de table .... p. 354
Rideaux et housses de canapés .... p. 362
Literie .... p. 374

Maison déco p. 406 >579

Canapés et banquettes .... p. 408
Tapis .... p. 450
Meubles d'appoint .... p. 458
Séjours .... p. 468
Tables et chaises .... p. 502
Bureaux .... p. 514
Chambres .... p. 532
Rangements .... p. 562

Maison pratique p. 580>661

Meubles de cuisine .... p. 582
Salles de bains .... p. 586
Eviers cuisine .... p. 604
Aménagement de la maison p. 610
Bricolage .... p. 638
Jardinage et aménagement extérieur .... p. 643

Image.son.micro.arts ménagers p. 662>861

Home-cinéma .... p. 666
Image .... p. 676
Son .... p. 690
Photo et vidéo .... p. 704
Micro-informatique .... p. 725
Téléphonie .... p. 742
Lave-linge, sèche-linge .... p. 748
Lave-vaisselle .... p. 762
Réfrigérateurs, congélateurs p. 772
Appareils de cuisson .... p. 790
Petit électroménager .... p. 820
Aspirateurs .... p. 838
Entretien du linge .... p. 850

Index p. 880
Guide pratique p. 862
Camif Habitat
Aménager/Rénover/Construire
p. 882

Reliez chaque objet à la rubrique correspondante.

OBJETS	RUBRIQUES
1. Un baladeur	Aménagement de la maison **.A**
2. Une cafetière électrique	Appareils de cuisson **.B**
3. Une couverture	Image **.C**
4. Un micro-ondes	Linge de lit **.D**
5. Un blouson	Matériel de sport **.E**
6. Un radiateur électrique	Meubles d'appoint **.F**
7. Un rangement pour CD	Micro-informatique **.G**
8. Une souris d'ordinateur	Petit électroménager **.H**
9. Une télévision	Plein air **.I**
10. Un vélo	Son **.J**

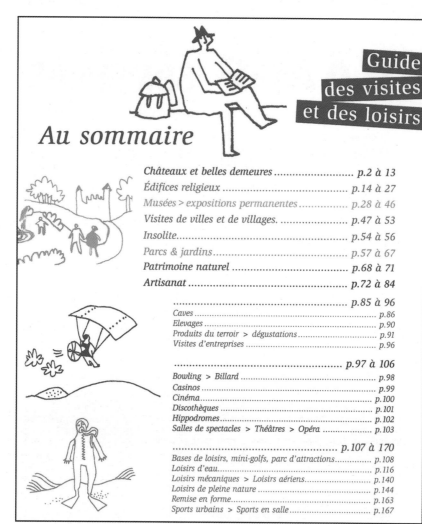

Guide des Visites & des Loisirs 2004, Comité départemental du tourisme de l'Allier.

a) À quelle rubrique du sommaire associez-vous les mots : *abbaye, abbatiale, cathédrale, chapelle, église, prieuré*? _____

b) Sous quelles rubriques les visites suivantes sont-elles indiquées ? **Cochez la bonne case.**

	Châteaux et belles demeures	Insolite *	Parcs et jardins	Patrimoine naturel	Artisanat
Manoir de Fontorte	✗				
Pagode et bouddhas					
Balade des fleurs sauvages					
Arboretum de Balaine					
Forêt domaniale de Tronçais					
Château de La Palice					
Balade des épouvantails**					
Forteresse de Billy					
Cristallerie des Quatre Vents					
Les oiseaux de la rivière et du bocage					
L'atelier de Claire					

* Insolite = inhabituel, un peu étrange pour la France.

** On met des épouvantails dans les champs, les jardins pour faire peur aux oiseaux qui mangent les graines et les fruits.

c) Trois titres de rubrique ont disparu du sommaire : *Loisirs - Sorties - Terroir*.
Remettez-les à leur place.

—————— p. 85 à 96 —————— p. 97 à 106 —————— p. 107 à 170

4 ■ LIRE POUR S'INFORMER ET DISCUTER

102 Pour vos prochaines vacances, vous désirez faire une croisière. Vous disposez de deux semaines.
Vous ne voulez pas dépenser plus de 1 500 € tout compris avec les visites guidées.
Vous souhaitez voir de beaux paysages et visiter des villes.

a) Lisez la sélection de croisières ci-dessous.

0 825 09 06 06 (0,15 €/min),
9 agences en magasin,
↳ www.fnac.com

Fnac Voyages
Offres Adhérents

Sélection croisières

La Russie par la Neva

12 jours / 11 nuits

De la Neva à la Volga, voguez à travers le pays des tsars. Depuis Moscou, *La Voie des Tsars* glissera vers les grands lacs. Escales à Yaroslav, joyau de l'Anneau d'or, l'île Kiji, réputée pour son architecture de bois, avant d'atteindre Saint-Pétersbourg, où vous passerez trois jours. La formule idéale pour découvrir les merveilles de la Russie en voyageant entre villes et campagne.

Croisière à partir de
1 430 € / 9 380,19 F
PRIX ADHÉRENTS
1 360 € / 8 921,02 F
SOIT UNE REMISE DE 70 €

Du 9/5 au 22/9/2005. Inclus : vol spécial Paris - Moscou / Saint-Pétersbourg - Paris - Croisière en pension complète - Visites guidées. *Prix valable en cabine double sur le pont inférieur les 11, 18 et 25/8/2005 et les 1, 8, 15 et 22/9/2005, hors taxes d'aéroport.*

11 jours / 10 nuits

Fjords, cap Nord et Spitzberg

Le *Princess Danae* (610 passagers) navigue de Bergen au Spitzberg. Glaciers, falaises, îles Lofoten et faune arctique vous subjugueront !

Départs les 30/6 et 10/7/2005. Inclus : vol spécial Paris-Evenes/Stavanger-Paris - Croisière en pension complète - Conférences à bord. *Prix valable en cabine double de cat. 2, hors taxes d'aéroport et portuaires.*

Croisière à partir de
1 670 € / 10 954,48 F
PRIX ADHÉRENTS
1 580 € / 10 364,12 F
SOIT UNE REMISE DE 90 €

12 jours / 11 nuits

De Naples à Odessa

Mettez le cap sur la Crimée, à bord du *Monterey*, paquebot de 580 passagers. Des escales de prestige entre Méditerranée et mer Noire sont prévues : Naples, Athènes, Istanbul, Yalta, Odessa...

Départs les 17/5, 30/6 et 16/8/2005. Inclus : Nice-Gênes A/R en bus - Croisière en pension complète - Assurance assistance. *Prix valable en cabine double cat. 2 le 17/5/2005.*

Croisière à partir de
1 630 € / 10 692,10 F
OFFRE ADHÉRENTS
599 € / 3 929,18 F
POUR LE 2ᴱ PASSAGER
EN CABINE DE CAT. 2 À 12
SUR LE DÉPART DU 17/5/2005

8 jours / 7 nuits

Croatie

Le *Jason* (210 passagers) cabote le long de la côte dalmate et de ses îles. Entre deux baignades, vous visiterez Dubrovnik, Korcula, Pula, Zadar...

Du 22/5 au 31/7/2005 et du 4/9 au 25/9/2005. Inclus : vol spécial A/R Paris-Rijeka - Croisière en pension complète - Visites guidées. *Prix valable en cabine double de cat. D, hors taxes d'aéroport.*

Croisière à partir de
1 295 € / 8 494,64 F
PRIX ADHÉRENTS
1 210 € / 7 937,08 F
SOIT UNE REMISE DE 85 €

© Photos DR - Prix hors hausse carburant

Une nouvelle brochure *Croisières 2005*

Des glaces du Spitzberg aux sites romains de Libye, de la Neva au Danube, découvrez les 20 croisières maritimes et fluviales sélectionnées par Fnac Voyages. Brochure disponible gratuitement au 0 825 09 06 06 (0,15 €/min), en agences Fnac Voyages et sur fnac.com

Catalogue Contact n° 399.

b) Complétez le tableau.

> Quand on consulte une brochure d'agence de voyages, on essaie de repérer d'abord la date, les destinations proposées, puis les prestations, les visites offertes et bien entendu les prix.

Croisière	Destination	Durée	Prestations : voyage et logement	Visites	Prix par personne
1					
2					
3					
4					

c) Quelle croisière correspond à vos attentes ? _____

Le **pedibus,** "transport" scolaire écolo

Ecole piétonnière

Malgré son nom latin, il ne se prend pas au sérieux. Il emmène les enfants de la maison à l'école, sans bruit ni pollution, sans consommer d'énergie. Le pedibus, qui existe depuis une bonne dizaine d'années au Canada ou en Suisse, a désormais ses fans en région parisienne, à Tremblay-en-France comme à Champigny-sur-Marne. C'est une de ces trouvailles toutes simples mais qui changent la vie, alors que 50 % des parents prennent leur voiture pour conduire leurs rejetons à l'école et que l'on s'inquiète de l'obésité enfantine. De quoi s'agit-il ? Le Pedibus est un bus... sans bus, mais avec des lignes (sept à Tremblay, menant à deux écoles primaires) et des arrêts, où on peut l'attendre à heure fixe. Les enfants se déplacent en groupe, à pied, conduits par des parents bénévoles. « *Economique, écologique, convivial, le pedibus interroge la notion de transport collectif, dit Georges Amar, responsable de la prospective à la RATP (1). Sur ce modèle, on pourrait imaginer que des trains de rollers ou des groupes de cyclistes passent du monde des loisirs à celui des transports en commun...* » **Dominique Louise Pélegrin**

Télérama n° 2884, 20 avril 2005.

A La Chapelle-Gauthier (77), l'école à pied, ça marche.

CÉCILE CHEVALLIER/MAX PPP

a) Observez bien la photo, la légende sous la photo et le titre de l'article.

Le sujet de cet article, c'est _____

b) « Pedibus » est un mot qui n'existe pas vraiment en français. Mais il est formé avec un mot que vous connaissez bien. Quel mot ? _____

Alors, essayez de deviner ; le « pedibus », qu'est-ce que ça peut être ?

_____

c) Cherchez maintenant la réponse dans l'article.

En quoi consiste le pedibus ? **Recopiez les phrases qui l'expliquent.**

_____

_____

d) Quels sont les avantages du pedibus ? Ils sont donnés deux fois dans l'article.
Trouvez les phrases correspondantes et notez-les.

_____

_____

Il y a même un avantage supplémentaire pour la santé des enfants. Pouvez-vous le trouver ?

_____

e) Où le pedibus existe-t-il ? _____

104 LES MOTS ASSOCIÉS

Cherchez dans l'article « École piétonnière » tous les mots associés à l'idée de transport :

- des noms : *voiture,* _____
- des verbes : *emmener,* _____

LES MOTS COUSINS

■ De quel nom vient l'adjectif « piétonnière » ? _____

Que signifie cet adjectif ? _____

■ **Cherchez dans le dictionnaire un mot qui commence comme « pedibus », avec la même** idée d'aller « à pied ». _____

■ Vous connaissez maintenant le « pedibus ». Connaissez-vous aussi l'abribus ?
Vérifiez dans un dictionnaire.

105 Interrogés sur la candidature de Paris pour les Jeux olympiques d'été en 2012, cinq Parisiens ont répondu aux journalistes de *Aujourd'hui en France*.

1. Marie-Louise, 65 ans ● 2. Benjamin Cavallo, 31 ans, graphiste, Paris ● 3. Olivier Marty, 34 ans, professeur d'EPS, Créteil (94) ● 4. Aïssatou, 34 ans, commerçante ● 5. Simon Goix, 12 ans, élève de 5ᵉ à Paris

a) Retrouvez l'opinion de chacun.

> Lisez bien l'identité de chacun et cherchez dans le texte le ou les mots en relation avec leur profession ou leur âge : ce sont les mots-clés pour comprendre.

A. « Le sport m'intéresse et, pour être honnête, je me dis aussi que si Paris est désigné, je vais pouvoir gagner de l'argent en louant mon appartement. À côté de cela, les Jeux peuvent également m'apporter des choses dans mon boulot. En tant que graphiste, il y aura sûrement des ouvertures possibles. »

B. « Les Jeux, c'est un truc de ouf*. J'ai passé mes journées devant la télé pendant les JO d'Athènes. Si Paris l'emporte, cela va mettre un peu d'ambiance dans la ville. 2012, ce sera l'année de mes 20 ans. Je serai majeur depuis deux ans et j'aurai plus de liberté pour profiter de tout cela avec mes copains. Ce qu'il y a de bien dans les Jeux, c'est qu'ils rassemblent plein de sports un peu cocasses qu'on ne voit presque jamais. »

C. « C'est un rêve de gosse. Quand on est sportif, c'est le summum de ce que l'on peut voir. Et pour nous, enseignants, cela ne peut que déboucher sur une crédibilité plus importante du sport à l'école. »

D. « Sur le plan international, les JO à Paris vont permettre de faire parler de la France et de renforcer son image. En tant que commerçante, je pense que c'est très intéressant. Beaucoup de touristes rêvent de venir en France, ce sera pour eux l'occasion de visiter notre pays et de dire : J'ai acheté ce souvenir en France. Actuellement, on croise des touristes isolés qui se promènent dans le XIIe arrondissement, mais la construction du village olympique peut attirer des groupes entiers. ».

E. « C'est très bien pour le sport et surtout pour les travaux qui vont être réalisés. Ça peut amener un coup de neuf. Pour moi, les Jeux olympiques, ça ne vaut pas la Coupe du monde de football, mais j'aime bien parce que c'est la fête pour tout le monde. Et franchement, on a besoin de ça. »

Aujourd'hui en France, supplément « Jeux Paris 2012 », mercredi 9 mars 2005.

1	2	3	4	5

b) Pourquoi vouloir les Jeux olympiques à Paris en 2012 ?
Dans la liste suivante, retrouvez les raisons données par ces cinq Parisiens. Soulignez-les.

- Le spectacle des Jeux est unique.
- Les athlètes sont sympa et signent facilement des autographes.
- Les Jeux font aimer le sport.
- Cela fait longtemps que les Jeux olympiques n'ont pas été organisés en France.
- C'est l'occasion de gagner de l'argent.
- Les Jeux olympiques attirent beaucoup de touristes.
- Les J.O. sont le symbole de la fraternité.
- C'est excellent pour l'image de la France.
- Pour les Jeux, on fait des travaux dans la ville, on la modernise.
- On s'amuse, la ville est plus animée.
- C'est bon pour le commerce.

* « Ouf », c'est fou en verlan, la langue à « l'envers » (verlan = lan-ver) très à la mode chez les jeunes. « C'est un truc de fou » : c'est quelque chose d'extraordinaire. Ici, cette expression a un sens complètement positif.

106 a) Lisez les six textes suivants.

A. La météo, c'est mon patron ou presque ! Chaque année, ce sont les mêmes tâches mais les conditions varient. Je suis installée avec mon mari depuis vingt-trois ans sur l'exploitation familiale de 70 hectares et notre emploi du temps n'a pas changé. En semaine, on travaille de 7 h à midi et de 14 h à 18 h : on s'occupe des poules, des vaches, du blé, du maïs. Septembre-octobre est la période la plus chargée à cause des récoltes. Pendant les trois semaines de ramassage des pommes de terre, on est dehors de 7 h à 21 h 30 avec une pause d'une heure pour déjeuner.

B. J'ai débuté comme ingénieur des industries agroalimentaires chez Unilever. Au bout de quatre ans, j'ai eu besoin de souffler. J'ai démissionné et pris une année sabbatique pour faire le tour du monde. À mon retour, j'ai eu l'occasion d'effectuer un stage dans une régie sur le tournage d'un film. Ça m'a plu, alors j'ai décidé de me lancer dans l'univers de l'audiovisuel. Ce qui m'a séduit, c'est l'idée de travailler sur des projets successifs avec des équipes différentes. [...] Quand je suis sous contrat, je travaille entre 39 et 50 heures par semaine. Il m'arrive régulièrement de faire des journées de 12 heures. Mais je ne suis jamais sûr d'arriver à mes 507 heures de travail sur dix mois, nécessaires pour conserver le statut d'intermittent.

C. Quand, en dernière année de pharmacie, j'ai effectué un stage dans un laboratoire, j'ai senti que ça ne me convenait pas, je ne m'épanouissais pas. [...] J'avais besoin d'un métier qui bouge ; alors, je me suis tournée vers la pub, un univers qui m'a toujours attirée. Je ne fais jamais deux fois la même chose et je rencontre des gens différents. Je travaille en moyenne 50 heures par semaine mais je fais bien plus quand il y a beaucoup de boulot. [...] Le soir, je termine entre 19 h et 20 h quand ça se passe bien mais je peux aussi bosser jusqu'à minuit ou une heure. Je n'ai pas de vie privée, pas d'enfant, pas de mari qui m'attend, mais j'ai trouvé un métier...

D. En une semaine, je fais deux fois 35 heures et entre 20 et 30 opérations ! En tant que chirurgien vasculaire libéral, je travaille dans une clinique privée et à l'hôpital, pendant les astreintes. Depuis que je me suis installé voilà vingt ans, je vis avec un biper en permanence sur moi. Je dois rester à quinze minutes environ du bloc. J'organise mes loisirs autour de chez moi : je m'aère beaucoup, je fais du cheval, du vélo, du motocross. Une fois, je suis même arrivé directement à l'hôpital en moto, avec ma combinaison pleine de boue !

E. Je me lève à 6 h du matin, j'arrive au bureau de poste à 7 h, je trie le courrier puis, vers 9 h 30, je pars pour une tournée de 75 kilomètres à travers la campagne, en passant par les villages et les fermes isolées. À 13 h 30, j'ai fini ma journée et je peux profiter de l'après-midi pour aller cueillir les champignons, pêcher, jardiner, cultiver mes tomates ou bricoler.

F. Je ne me couche jamais avant minuit et il est rare que je suive un programme télé jusqu'au bout. Heureusement mes 18 heures de cours sont groupées. On ne l'imagine pas, mais le métier de prof est très envahissant ; on ne regarde pas sa montre. Je suis comme une ménagère, je ne compte pas mon travail à domicile. Le temps de préparation est aussi important que celui passé en classe, sans parler de la correction des copies qui est une véritable corvée. Là, on devient des bûcherons, ce sont des heures entières rayées de la vie. Quant aux vacances, les petites sont toujours amputées par plusieurs jours de travail et les grandes sont d'une nécessité absolue.

Le Nouvel Observateur, n° 2088.

b) Retrouvez la profession de chaque personne interrogée.

Indiquez si c'est un homme ou une femme en cochant la case correspondante. Si le texte ne contient pas d'information précise, mettez une croix dans la case [?].

- professeur(e) de sciences économiques
- chirurgien(ne)
- chef de publicité
- technicien (ne) du spectacle
- facteur/trice
- agriculteur/trice

Texte	Profession	Homme	Femme	?
A				
B				
C				
D				
E				
F				

c) Recopiez les phrases ou parties de phrases qui vous ont aidé(e) à répondre à la seconde partie de la question précédente.

A : _____

B : _____

C : _____

D : _____

E : _____

F : _____

d) Relevez les mots ou expressions associés à chaque profession.

Agriculteur : _____

Chef de publicité : _____

Chirurgien : _____

Facteur : _____

Professeur : _____

Technicien du spectacle : _____

e) Deux des personnes interrogées ont changé de métier ou d'orientation professionnelle. Qui sont-elles ? _____

107 Reportez-vous à l'activité 106. Vous pouvez vous aider d'un dictionnaire français-français pour répondre aux questions suivantes.

a) Que signifie une « tâche » ? (texte A) _____

Un mot français s'écrit presque de la même façon mais a un sens très différent.

Lequel ? _____

b) « Au bout de quatre ans, j'ai eu besoin de **souffler**… Ça m'a plu, alors j'ai décidé de **me lancer** dans l'univers de l'audiovisuel. » (texte B)

1. Quel est, ici, le sens particulier des deux verbes notés en gras ? _____

_____

2. Reformulez les deux phrases avec les synonymes de ces deux verbes. Réécrivez-les.

_____

_____

3. Trouvez dans le texte C deux mots familiers qui signifient respectivement « travail » et

« travailler ». _____

4. Texte F.
- « … on ne regarde pas sa montre. »
Une phrase reprend la même idée. **Relevez-la.** _____

_____

- « … la correction des copies est une véritable corvée. »
Comment comprenez-vous le mot « corvée » ? A-t-il, selon vous, une valeur positive ou négative?

Aidez-vous du contexte et en particulier de la phrase qui suit.

Vérifiez dans le dictionnaire.

108 a) Lisez l'article.

La mariée sera majeure

L'âge légal du mariage des filles va probablement passer de 15 à 18 ans et s'aligner ainsi sur celui des garçons. Le ministre de la Justice, Dominique Perben, soutiendra mardi un amendement en ce sens au Sénat. Il s'agit ainsi de « lutter contre les mariages forcés ». Ce phénomène, difficile à cerner, toucherait 70 000 jeunes filles selon le Haut Conseil à l'immigration, qui reprend un chiffre qui doit être pris avec la plus grande prudence. Le garde des Sceaux* a expliqué qu'« il faut se méfier de la fausse liberté de se marier plus jeune qui peut déboucher sur l'absence de liberté ». En effet, il a été constaté que certaines très jeunes filles sont contraintes de se marier parce que leur famille l'a décidé. Encore sous l'autorité de leurs parents, elles ne peuvent qu'obéir. Les associations réclamaient cette modification législative depuis des années.

Dominique Perben rejoint le souverain marocain Mohammed VI qui a modifié le code de la famille dans ce sens.

Au sein de l'Union européenne, la quasi-totalité des États membres a harmonisé l'âge minimum du mariage, le fixant à 18 ans pour les femmes comme pour les hommes.

* Ministre de la Justice.

D'après *Libération*, vendredi 25 mars 2005.

Cochez la bonne case.

	VRAI	FAUX
1. La loi française interdit aux hommes de se marier avant 18 ans.	○	○
2. L'âge légal du mariage pour les femmes va certainement changer.	○	○
3. Un petit nombre de jeunes filles font des mariages forcés.	○	○
4. Le ministre de la Justice veut lutter contre les unions imposées.	○	○
5. Il faut protéger certaines jeunes filles mineures.	○	○
6. Les associations ne sont pas satisfaites.	○	○
7. Le Maroc va faire la même réforme.	○	○
8. Dans presque tous les pays de l'Union européenne, l'âge légal du mariage est le même pour les hommes et pour les femmes.	○	○

5. LIRE DES INSTRUCTIONS

109

Parce que la Santé n'attend pas

Sur les sacs que les pharmaciens donnent à leurs clients, on peut lire des conseils de santé.

Observez les conseils ci-dessous.

À quelles phrases inscrites sur les sacs correspondent-ils ?
Quels dessins peuvent les illustrer ?

Conseils	Phrases	Dessins
1. Ne donnez pas vos médicaments aux autres, sans consulter un médecin.	**a.** *N'en faites pas un festin !*	A
2. Ne laissez pas les médicaments à la portée des enfants.	**b.** *Ne jetez pas les médicaments !*	B
3. Ne consommez pas trop de médicaments. Prenez seulement les médicaments et les doses prescrites par votre médecin.	**c.** *Ne vous improvisez pas gourou guérisseur !*	C
4. Quand vous avez fini votre traitement, redonnez les médicaments restants et les boîtes vides à votre pharmacien.	**d.** *Éloignez-les des mains trop curieuses !*	D

1 : .... / ....   2 : .... / ....   3 : .... / ....   4 : .... / ....

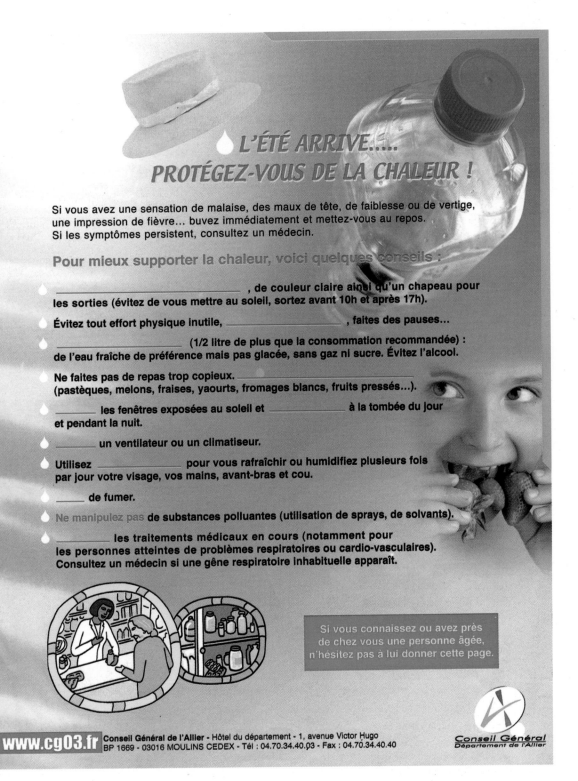

L'ÉTÉ ARRIVE.....
PROTÉGEZ-VOUS DE LA CHALEUR !

Si vous avez une sensation de malaise, des maux de tête, de faiblesse ou de vertige, une impression de fièvre... buvez immédiatement et mettez-vous au repos.
Si les symptômes persistent, consultez un médecin.

Pour mieux supporter la chaleur, voici quelques conseils :

_____ , de couleur claire ainsi qu'un chapeau pour les sorties (évitez de vous mettre au soleil, sortez avant 10h et après 17h).

Évitez tout effort physique inutile, _____ , faites des pauses...

_____ (1/2 litre de plus que la consommation recommandée) : de l'eau fraîche de préférence mais pas glacée, sans gaz ni sucre. Évitez l'alcool.

Ne faites pas de repas trop copieux. _____
(pastèques, melons, fraises, yaourts, fromages blancs, fruits pressés...).

_____ les fenêtres exposées au soleil et _____ à la tombée du jour et pendant la nuit.

_____ un ventilateur ou un climatiseur.

Utilisez _____ pour vous rafraîchir ou humidifiez plusieurs fois par jour votre visage, vos mains, avant-bras et cou.

_____ de fumer.

Ne manipulez pas de substances polluantes (utilisation de sprays, de solvants).

_____ les traitements médicaux en cours (notamment pour les personnes atteintes de problèmes respiratoires ou cardio-vasculaires). Consultez un médecin si une gêne respiratoire inhabituelle apparaît.

Si vous connaissez ou avez près de chez vous une personne âgée, n'hésitez pas à lui donner cette page.

www.cg03.fr Conseil Général de l'Allier - Hôtel du département - 1, avenue Victor Hugo
BP 1669 - 03016 MOULINS CEDEX - Tél : 04.70.34.40.03 - Fax : 04.70.34.40.40

Conseil Général
Département de l'Allier

Retrouvez les éléments qui manquent et complétez.

Ex. **10**. Ne manipulez pas.

1. Mangez plutôt des aliments riches en eau – **2.** Respectez – **3.** aérez les pièces – **4.** Évitez – **5.** Portez des vêtements légers, amples, – **6.** Installez – **7.** ralentissez vos activités, – **8.** Masquez – **9.** Buvez plus que d'habitude – **10.** Ne manipulez pas – **11.** la douche, le bain

⚠ Attention aux minuscules et à la ponctuation !

Observez attentivement le tableau ci-dessous.

Il contient : – les conseils donnés par une société d'autoroute,
                            – les « rubriques » auxquelles ils correspondent.

Chaque rubrique compte deux conseils. Quels conseils correspondent à chaque rubrique ?

Recherchez dans chaque conseil le ou les mots en relation avec l'une des rubriques.

Pour chaque conseil, soulignez le ou les mots-clés et cochez la rubrique correspondante.

CONSEILS	RUBRIQUES				
	Véhicule	Conducteur	Voyage	Accompagnateurs	Autoroute
Ex. Si vous voyagez avec des <u>enfants</u>, enclenchez les sûretés des portes.				✔	
1. Circulez quand vous le pouvez sur la voie de droite.					
2. Programmez-le avec suffisamment d'avance.					
3. Ne surchargez pas le véhicule.					
4. Réalisez une révision complète du véhicule, en particulier de l'état et de la pression des pneus.					
5. Évitez les jours et les heures de grande circulation.					
6. Conservez la distance de sécurité avec les autres véhicules.					
7. N'oubliez pas que les enfants de moins de 12 ans doivent voyager sur les sièges arrière.					
9. Évitez les repas copieux et supprimez les boissons alcoolisées.					
9. Reposez-vous toutes les deux heures.					

Vous voulez voyager en Europe? Alors, vous devez respecter certaines règles.
Pour les connaître, lisez les documents suivants.

⚙ **Sécurité routière.** Dans tous les États membres de l'Union, il est
obligatoire de boucler sa ceinture de sécurité, à l'avant comme à l'arrière du véhicule.

Vitesses maximales > autorisées	En agglomération	Hors agglomération	Sur autoroute
Ⓐ	50	100	130
Ⓑ	50	90 ou 120	120
Ⓓ	50	100	130 (')
ⒹⓀ	50	80	110
Ⓔ	50	90 ou 100	120
Ⓕ	50	90 ou 110	130
ⒻⒾⓃ	50	80 ou 100	120
ⒼⒷ	48 / 30 miles	96 ou 112 / 60 ou 70 miles	112 / 70 miles
ⒼⓇ	50	90 ou 110	130
Ⓘ	50	90 ou 110	130
ⒾⓇⓁ	48 / 30 miles	96 / 60 miles	112 / 70 miles
Ⓛ	50	90	130
ⓃⓁ	50	80 ou 100	120
Ⓟ	50	90 ou 100	120
Ⓢ	50	70	110

NB: Vitesses maximales autorisées, en règle générale, pour les véhicules automobiles (en km/h).
Certains pays imposent des limites plus strictes en cas de mauvaises conditions météorologiques ou lorsqu'il s'agit de jeunes conducteurs.
(') En Allemagne, la vitesse maximale recommandée est de 130 km/h.

N'oubliez pas de conduire à gauche en Irlande et au Royaume-Uni et souvenez-vous que, dans certains pays comme la Belgique, la France et les Pays-Bas, vous devez généralement céder la priorité aux véhicules venant de droite.

Utiliser un téléphone portable en conduisant multiplie par cinq le risque d'accident mortel. Cette pratique est explicitement ou implicitement interdite dans tous les États membres de l'Union européenne. Certains pays tolèrent l'utilisation d'équipements «mains libres».

Dans la plupart des pays, le seuil du taux d'alcoolémie des conducteurs est fixé à 0,5 gramme par litre de sang; il est toutefois légèrement supérieur en Irlande, en Italie, au Luxembourg et au Royaume-Uni (0,8 g/l) et inférieur en Suède (0,2 g/l).

a) Complétez les phrases.

Ex. La conduite est à droite dans la plupart des pays mais à gauche en Irlande et au Royaume-Uni.

1. La priorité est généralement .... en France, en Belgique et aux Pays-Bas.

2. Attacher sa .... est obligatoire à .... et à .... dans tous les pays.

3. La loi sur l'utilisation du .... n'est pas la même dans tous les pays.

4. La quantité d'........................... permise dans le sang est la plus faible en ....

5. Le pays le plus prudent pour les vitesses hors .... et sur .... est ....

6. Sur autoroute, la vitesse maximale de 130 km/h est .... dans cinq pays seulement et .... en Allemagne.

En cas de problèmes

● **Services d'urgence: 112.** Pour contacter les services d'urgence dans n'importe quel pays de l'Union européenne, composez le 112.

● **Qui contacter en cas de perte ou de vol?** Déclarez tout vol à la police. Vous devrez transmettre le rapport de police lorsque vous remplirez votre déclaration auprès de votre assurance ou votre demande d'indemnisation. Faites immédiatement bloquer toute carte de crédit égarée ou volée. Si votre passeport a été volé, informez-en le consulat ou l'ambassade de votre pays ainsi que la police.

● **Conseils concernant vos droits.** Pour obtenir gratuitement des conseils sur les droits dont vous bénéficiez en tant que voyageur et sur tout autre droit ainsi que sur les personnes et services pouvant vous aider, appelez le service *Europe Direct* au 00 800 6 7 8 9 10 11, quel que soit l'endroit de l'Union où vous vous trouvez. Vous pouvez également envoyer un courrier électronique à ce même service (**europa.eu.int/europedirect**).

Rester en bonne santé

● **Médicaments.** Si vous prenez un médicament spécial, assurez-vous qu'il est autorisé dans le pays que vous visitez et emportez votre prescription ou une lettre de votre médecin. Demandez à ce dernier si vous devez prendre les médicaments qu'il vous a prescrits durant votre séjour à l'étranger.

● **Assurance voyage.** Il est conseillé de prendre une assurance voyage. Peu d'États membres de l'Union européenne prennent à leur charge la totalité des frais des soins médicaux, même dans le cadre d'accords de réciprocité. Une maladie ou un accident à l'étranger peut entraîner des frais supplémentaires de déplacement, de séjour et de rapatriement pour lesquels il vaut mieux être assuré.

b) Cochez les affirmations exactes (plusieurs solutions sont possibles).

1. Une assurance voyage est :
   a) recommandée pour tous les pays. ☐
   b) obligatoire pour tous les pays. ☐
   c) obligatoire dans certains pays. ☐

2. La consommation de certains médicaments est :
   a) interdite dans quelques pays. ☐
   b) interdite dans tous les pays. ☐
   c) possible avec une ordonnance de son médecin. ☐

3. Dans tous les pays, si on est victime d'un vol, il faut prévenir :
   a) la police. ☐
   b) le consulat de son pays. ☐
   c) l'ambassade de son pays. ☐

4. Dans tous les pays, si le passeport, la carte d'identité, les papiers sont perdus ou volés, il faut prévenir :
   a) la police et le consulat de son pays. ☐
   b) la police ou le consulat de son pays. ☐
   c) le consulat de son pays seulement. ☐

5. Le numéro des services d'urgence est le même :
   a) dans tous les pays du monde. ☐
   b) dans tous les pays de l'Union européenne. ☐
   c) dans la plupart des pays de l'Union européenne. ☐

6. Pour avoir plus de précisions sur ses droits, on peut contacter le service Europe Direct :
   a) à la Commission européenne à Bruxelles. ☐
   b) au même numéro pour tous les pays. ☐
   c) à la même adresse électronique pour tous les pays. ☐

Ce soir, vous ne pouvez pas voir votre émission préférée de télévision en direct.
Vous décidez de l'enregistrer avec votre enregistreur de DVD.
Dans quel ordre devez-vous faire les opérations suivantes ?

Dans un mode d'emploi, l'ordre des opérations est important.
Il est souligné par l'utilisation de certains mots qui indiquent la chronologie.

A Sélectionnez le champ de saisie à l'aide de la touche ▶ ou ◀.

B Mettez enfin l'enregistreur de DVD en veille en appuyant sur la touche **STANDBY** ○.

C Appuyez sur la touche **TIMER** de la télécommande.

D Pour finir, appuyez sur la touche **TIMER**.

E Sélectionnez la ligne « Programmation timer » à l'aide de la touche **CH– ▼** ou **CH+ ▲** puis confirmez en appuyant sur ▶.
Les données courantes sont affichées.

F Confirmez en appuyant sur la touche **OK**.

Les données sont alors mémorisées dans un bloc TIMER.

G Entrez les données requises pour l'enregistrement à l'aide de la touche **CH– ▼** ou **CH+ ▲** ou des touches **0..9**.

Attention ! Un enregistrement programmé ne peut avoir lieu que si l'enregistreur de DVD a été mis en veille via la touche **STANDBY** ○.

1 : ...... – 2 : ...... – 3 : ...... – 4 : ...... – 5 : ...... – 6 :...... 7 : ......

En situation de production écrite, on doit écrire un texte : cela signifie construire des phrases mais aussi les assembler pour construire le texte. Pour cela, on doit :
– regrouper les informations, les idées qui vont ensemble,
– éviter les répétitions,
– marquer, quand c'est nécessaire, les relations entre les idées avec de petits mots comme « aussi », « mais »…
– faire attention à la ponctuation, aux paragraphes qui rendent le texte plus lisible.

Les textes sont différents : quand on décrit une ville ou quand on raconte un événement, on n'organise pas son texte de la même manière. Ils changent aussi suivant la situation : un journal ne raconte pas un événement comme on le raconte dans une lettre à un ami.

Il faut réfléchir à cela avant de commencer à écrire : justement, à l'écrit, on a la possibilité de se préparer. On peut aussi, après, se relire, vérifier, se corriger.

Les activités qui suivent ou les pistes suggérées dans les encadrés ⓖ permettent de développer ces stratégies

1. DÉCRIRE SON ENVIRONNEMENT

■ 1. Décrire des gens ■

114 SIX PORTRAITS

1. C'était un garçon d'une dizaine d'années, avec un visage tout rond et tranquille, et de beaux yeux noirs un peu obliques. Mais c'était surtout ses cheveux qu'on remarquait, des cheveux brun cendré qui changeaient de couleur selon la lumière, et qui paraissaient presque gris à la tombée de la nuit. […]
Il marchait seul, l'air décidé, en regardant autour de lui. Il était habillé tous les jours de la même façon, un pantalon bleu en denim, des chaussures de tennis, et un T-shirt vert un peu trop grand pour lui.

J.-M. G. LE CLÉZIO, Mondo et autres histoires, Gallimard.

2. Il s'appelait Guido. Il vivait seul. […] C'était un homme très beau, brun, avec de belles dents blanches quand il souriait et des yeux clairs. Il devait bien avoir trente ans.

C. ROCHEFORT, Les Petits Enfants du siècle, Grasset.

3. Je vais parfois jouer avec une fille de ma classe. Elle a le même âge que moi, à deux mois près et la même taille ; son mince visage est très gai, ses yeux sont légèrement bridés, et ses deux grosses nattes dorées que sa mère met longtemps à tresser lui descendent plus bas que la taille.

N. SARRAUTE, Enfance, Gallimard.

4. Madame Claveau a été la concierge de l'immeuble jusqu'en mille neuf cent cinquante-six. C'était une femme de taille moyenne, aux cheveux gris, à la bouche mince, toujours coiffée d'un fichu couleur tabac, toujours vêtue d'un tablier noir avec des petites fleurs bleues.

G. PEREC, La Vie mode d'emploi, Hachette/POL.

5. Michel Strogoff était haut de taille, vigoureux, épaules larges, poitrine vaste. […] Ses yeux étaient d'un bleu foncé, avec un regard froid, franc, inaltérable […]. Son nez puissant dominait une bouche symétrique.

J. VERNE, Michel Strogoff.

6. Mon maître paraissait sévère. Il avait les cheveux gris, les yeux gris. Il arrivait toujours en costume trois-pièces.

Mémoires de maître, paroles d'élèves, Radio France-Librio.

a) Repérez les éléments présents dans les différents portraits.

Cochez-les dans le tableau suivant, comme pour le portrait 1.

	1	2	3	4	5	6
Âge approximatif	✗					
Taille						
Allure générale						
Vêtements	✗					
Cheveux	✗					
Forme du visage	✗					
Expression, regard	✗					
Yeux	✗					
Nez						
Bouche						

b) Tous les éléments du tableau ne sont pas présents dans tous les portraits. **Choisissez deux portraits et complétez-les : ajoutez des précisions possibles dans la description.**

Ex. PORTRAIT 2. C'était un homme très beau, brun, mince, avec de belles dents blanches quand il souriait, un visage ouvert et des yeux clairs. Il devait bien avoir trente ans. Il portait souvent un jean, un pull et des tennis. Il paraissait sportif.

● _____

_____

_____

● _____

_____

_____

115 À partir des notes suivantes, rédigez les portraits des deux personnes.

■ **Lui** : air sérieux - grand - maigre - front haut - vêtements classiques - un peu voûté - grosses lunettes - la cinquantaine.

■ **Elle** : à peu près le même âge - taille moyenne - regard vif - allure sportive - cheveux châtain, mi-longs - un peu ronde - visage assez ordinaire - sourire ouvert.

Faites des phrases complètes. Organisez la description.

> Regroupez : - les caractéristiques qui concernent le visage,
> - les caractéristiques qui concernent le corps, l'allure générale.

● _____

_____

_____

_____

● _____

_____

_____

_____

_____

116 ⊖ Quand on décrit une personne, on souligne souvent une particularité ou l'impression donnée par cette personne.

a) Relisez les portraits de l'activité 114.

Pour chacun, repérez la particularité soulignée ou l'impression donnée.

Ex. Dans le **portrait 3**, ce sont les cheveux qui sont particulièrement soulignés. Le **portrait 4** donne l'impression d'une personne un peu triste, effacée, sans couleur. Et les autres ?

● PORTRAIT 1 : _____

● PORTRAIT 2 : _____

● PORTRAIT 5 : _____

● PORTRAIT 6 : _____

b) Décrivez l'homme du tableau.

Dans votre description, soulignez particulièrement ses yeux, son regard.

● _____

_____

_____

_____

_____

_____

_____

_____

117 Ce jeune homme a disparu. Vous publiez dans le journal une description très précise pour le retrouver.

● *On recherche un jeune homme* _____

_____

_____

_____

_____

b) Vous écrivez, au choix, un roman policier ou un roman d'amour. Cette femme est le personnage principal. **Écrivez le passage du livre qui la présente.**

● *C'est une femme d'une trentaine d'années* _____

_____

_____

_____

_____

_____

_____

_____

_____

_____

_____

118 **a)** Observez ces petites annonces.

1. Coiffeuse, 32 ans, brune, mince, élégante et très féminine aimerait rencontrer H. 35-40 ans sérieux et sincère.

2. Technicien, 31 ans, physique agréable, grand, toujours de bonne humeur, je souhaite partager ma vie avec compagne jolie, vivante et gaie.

3. **H, 45 ans,** cadre bancaire, allure sportive et jeune, mince, j'aime la nature et les promenades, j'ai envie de vous rencontrer et de partager avec vous des moments de bonheur.

4. **F, 40 ans,** comptable, blonde aux yeux verts, joli visage, tendre et romantique, désire une relation sérieuse avec H. stable et généreux.

Quelles qualités physiques et psychologiques apparaissent dans les différentes annonces ?

	Qualités physiques		Qualités psychologiques	
	Auteur de l'annonce	Personne recherchée	Auteur de l'annonce	Personne recherchée
Annonce 1				
Annonce 2				
Annonce 3				
Annonce 4				

b) Le jeune homme et la jeune femme de l'activité 117 écrivent chacun une petite annonce pour rencontrer une personne. Chaque personne souligne :

- ses qualités physiques : retrouvez-les sur la photo ;
- ses qualités psychologiques : imaginez-les.

Imaginez aussi qui il/elle désire rencontrer. Écrivez les deux petites annonces.

● _____   ● _____
_____   _____
_____   _____
_____   _____

119

《 Voici Guignol, une marionnette très célèbre en France. C'est le personnage à l'air
《 joyeux, au centre de la photo. Il est né à Lyon au début du XIXᵉ siècle. Son créateur,
《 un ancien ouvrier, s'appelle Laurent Mourguet. Guignol se moque des autorités,
《 des bourgeois. Il représente l'humour, la joie de vivre, l'indépendance des gens simples.
《 Il est entouré de son copain Gnafron qui a le nez rouge parce qu'il aime un peu
《 trop le vin et du Gendarme avec le bicorne sur la tête. Les deux femmes sont
《 Madelon, la femme de Guignol, et Toinon, la femme de Gnafron.
《 Guignol est célèbre dans la France entière, mais il reste un héros lyonnais et un
《 symbole de la ville. Aujourd'hui le théâtre de Guignol s'adresse surtout aux enfants.

Faites le portrait d'un personnage célèbre de conte, de théâtre ou de bande dessinée.

Connaissez-vous, par exemple, Tintin (et Milou, son chien !), Astérix, Arlequin, Cendrillon ou Blanche-Neige ? Ou bien sûr des personnages de votre culture ?

Choisissez un personnage. Décrivez-le : comment est-il physiquement ? Mais surtout, quelles sont ses caractéristiques ?

● _____
_____
_____
_____
_____

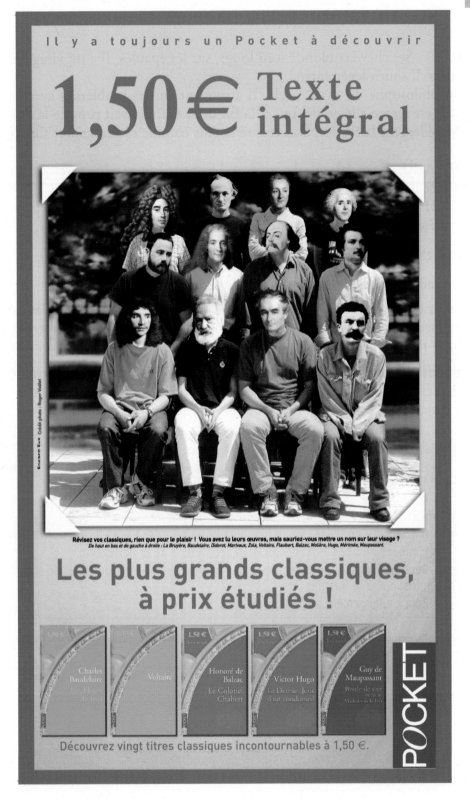

Cette curieuse photo d'école réunit douze écrivains français célèbres d'époques différentes.

Lisez les portraits de trois d'entre eux.

MOLIÈRE. Il a de longs cheveux bruns (c'est une perruque) et une fine moustache, il est assis, il regarde vers la gauche.
C'est un auteur de théâtre très célèbre en France qui a vécu à l'époque de Louis XIV. Il a écrit des comédies : *Le Malade imaginaire, L'Avare, Dom Juan…* Il jouait aussi, il est même mort sur scène.

VOLTAIRE. Ses cheveux blonds sont longs, sur les épaules. Il a un visage fin, les joues et les lèvres roses. Il sourit légèrement.

C'est un philosophe du XVIIIe siècle. Il a souvent eu des problèmes avec le pouvoir et avec l'Église. Il est même allé en prison. À la fin de sa vie, il vivait près de la Suisse pour pouvoir quitter rapidement la France. Son œuvre la plus connue est un conte, *Candide*.

BAUDELAIRE. Il est debout, il a un grand front et l'air sombre, presque tragique. Il regarde bien en face de lui.

Né en 1821 et mort en 1867, il a été un poète « maudit » : son œuvre principale, *Les Fleurs du mal*, a été interdite. Mais ensuite, on a reconnu son génie.

a) Retrouvez-les sur la photo.

b) Sur le même modèle, faites le portrait de deux autres écrivains.

Vous pouvez choisir entre **Hugo** (au 1er rang, le 2e en partant de la gauche), **Maupassant** (au 1er rang, complètement à droite), **Balzac** (au 2e rang, derrière Maupassant), **Flaubert** (à côté de Balzac), **Zola** (au 2e rang, complètement à gauche), **Beaumarchais** (au dernier rang, derrière Balzac).

Décrivez-les physiquement. Cherchez dans un dictionnaire ou sur Internet des informations pour les présenter rapidement : retrouvez leur époque, indiquez au moins une œuvre célèbre. Essayez d'ajouter une caractéristique, un fait marquant de leur vie ou de leur manière d'écrire.

> Pour vous aider, voici des caractéristiques que vous pouvez ajouter :
> - **Hugo** : romans, théâtre, poésie et dessins. Exil à Jersey et Guernesey pendant tout le Second Empire : opposition à Napoléon III.
> - **Maupassant** : auteur de romans, mais surtout d'un grand nombre de nouvelles. Dix ans seulement d'activité littéraire intense puis folie.
> - **Balzac** : auteur d'une œuvre monumentale, peinture fine de la société de son temps.
> - **Flaubert** : grande exigence de style, recherche de la perfection.
> - **Beaumarchais** : horloger inventif, homme d'affaires, critique de l'aristocratie, emprisonné à la Bastille.
> - **Zola** : engagement social et politique.

Ex. Si vous choisissez Zola, vous pouvez écrire : « Il s'est engagé socialement et politiquement. »

- _____
  _____
  _____

- _____
  _____
  _____

c) Présentez de la même manière un écrivain célèbre de votre pays : l'époque, une ou deux œuvres célèbres, une caractéristique.

- _____
  _____
  _____

Décrivez physiquement les enfants de cette photo.

Imaginez leurs études, leur profession, leur avenir : qu'est-ce qu'il/elle va faire ? Où est-ce qu'il/elle va aller ? Qu'est-ce qu'il/elle va découvrir ?...

Pour vous aider, vous pouvez utiliser le vocabulaire suivant :
– *être doué pour, s'entraîner, avoir du succès, obtenir un prix/une récompense...*
– *astronaute, aller sur la Lune, sur Mars...*
– *plongeur/plongeuse, découvrir une épave, une grotte, un trésor...*
– *musicien, saxophoniste, enregistrer un disque, faire des concerts, jouer dans un orchestre, être soliste...*
– *peintre, peindre, peinture, une galerie, exposer, participer à/faire une exposition...*
– *sportif, participer à une compétition, gagner une compétition, battre un record...*

●_____

_____

_____

_____

_____

〝 Nathalie Lecroc, une artiste
〝 parisienne, fait de drôles
〝 de portraits : elle ne peint
〝 pas les personnes, mais
〝 le contenu de leur sac
〝 à main !

Le Monde 2, 9 octobre 2004.

Voici le portrait du sac de Garance.

a) Décrivez sa propriétaire.

Ex. C'est une jeune fille qui aime voyager. Elle a de l'humour…

● _____

_____

_____

b) Ouvrez votre sac, videz vos poches et faites votre portrait !

● _____

_____

_____

Poétique du boulevard

123

Il y a ceux qui promènent un cornet de glace au chocolat
Ceux qui se tiennent la main, ceux qui se laissent pousser la barbe
Ceux qui portent un sac en plastique, avec des courses, des livres ou des bouteilles
Ceux qui mettent un chapeau, ceux qui balancent les bras
Ceux tee-shirt rayé, ceux polo vert et short rouge [...]

Jean-Michel MAULPOIX, *Domaine public*, Mercure de France.

Jean-Michel Maulpoix décrit les gens qui passent en été sur un boulevard.

À sa manière, décrivez les gens dans un train, un restaurant ou un supermarché :
ceux qui... (les gens qui... ou les hommes qui...), celles qui... (les femmes qui...)

Ex. *Poétique du train*
    Il y a ceux qui ne trouvent pas leur place
    Celles qui font de grands signes à ceux qui restent sur le quai

● _____
_____
_____
_____
_____

■ 2. Décrire des lieux - Décrire une région, un pays ■

124

L'Alsace est une région de .... de la France. Le Rhin la .... de l'Allemagne.

C'est la plus petite région de France : elle .... deux départements seulement. Mais ce n'est pas la moins .... : la densité de population est presque le double de la moyenne nationale. Elle compte trois villes importantes : Colmar, Mulhouse et surtout Strasbourg, sa .... qui est aussi le siège du Parlement européen et du Conseil de l'Europe.

C'est une région contrastée avec, à l'ouest, des ...., les Vosges, des collines à leur pied et une plaine très cultivée .... du Rhin. Sur les collines, des vignes .... un vin blanc réputé. L'Alsace est aussi une région .... mais, comme dans d'autres régions de France, l'activité a baissé.

Le .... alsacien est rude : froid en hiver et chaud en été !

a) Replacez les mots qui manquent dans ce texte à l'endroit qui convient :

montagnes, climat, capitale, l'est, au bord, industrielle, peuplée,
se compose de, produisent, sépare.

b) Retrouvez dans quel ordre les points suivants sont abordés dans le texte :

climat, population, relief, taille/superficie, situation, villes, productions/activités

1 : .... 2 : .... 3 : .... 4 : ....

5 : .... 6 : .... 7 : ....

125 **Lisez le texte suivant.** C'est une présentation de l'île de La Réunion.

Il y a beaucoup de répétitions dans ce texte.
Supprimez-les et réécrivez le texte sur une feuille.

La Réunion est une ile tropicale montagneuse et volcanique. La Réunion est située dans l'océan Indien. La Réunion est à 800 km à l'est de Madagascar. La superficie de La Réunion est de 2512 km². Un volcan endormi domine La Réunion : le piton des Neiges. Le piton des Neiges culmine à 3069 m. Un autre volcan, le piton de la Fournaise (2600 m) est, lui, très actif. Heureusement, les éruptions du piton de la Fournaise ne sont pas dangereuses parce que les éruptions se produisent dans une zone très délimitée. Il n'y a pas d'habitations dans cette zone.

La partie Est de l'île est exposée aux vents de l'océan Indien. Cette partie est très arrosée, verte, riche en cascades. L'autre côté de l'île est plus sec. On trouve les plages sur ce côté. Il fait beau presque toute l'année sur ce côté.

La principale production de l'île est la canne à sucre. La Réunion produit aussi du thé, du café, de la vanille. La Réunion possède de grandes ressources touristiques. Les côtes sont très belles. On peut faire du surf et de la plongée sur ses côtes. Mais surtout La Réunion offre, à l'intérieur, une grande variété de paysages superbes. On peut découvrir les paysages grâce à un très bon réseau de chemins de randonnée.

La Réunion est très peuplée : 706 000 habitants. La population de La Réunion est très mélangée, la population de La Réunion vient d'Asie, d'Afrique et d'Europe. Le mélange des populations rend l'île très intéressante culturellement.

La ville la plus importante est Saint-Denis, au nord de l'île, centre politique et administratif, pôle économique et universitaire.

L'île fait partie des départements français d'outre-mer. Le français est donc la langue officielle de l'île. Mais on parle aussi le créole dans l'île.

126 **Reprenez le texte sur l'Alsace. Réécrivez-le dans l'ordre suivant : 1.** Taille/Superficie – **2.** Situation – **3.** Relief – **4.** Climat – **5.** Population – **6.** Villes – **7.** Productions/Activités.

Attention ! le changement d'ordre entraîne quelques modifications dans le texte.

> Un texte, ce n'est pas un simple collage de phrases.
> Évitez les répétitions et faites attention à la logique des enchaînements.

_____

_____

_____

_____

_____

_____

_____

_____

127 À partir des notes suivantes, rédigez une description de la région Centre.
Suivez l'ordre indiqué.

> **1.** Proche de Paris - **2.** 6 départements - **3.** Plaines et plateaux peu élevés, vallée de
> la Loire, nombreuses autres rivières - **4.** Climat assez doux - **5.** Agriculture riche : blé
> dans les plaines, légumes, fruits et vignes dans la vallée de la Loire - **6.** Plusieurs
> centrales nucléaires : électricité - **7.** Nombreux châteaux (Renaissance). Région
> touristique - **8.** Villes principales : Tours, Orléans (au bord de la Loire)

Vous pouvez utiliser des verbes rencontrés dans les textes sur l'Alsace ou sur La Réunion mais
aussi d'autres : *être situé, être proche de, traverser, cultiver.*

N'oubliez pas la ponctuation !

● _____

_____

_____

_____

_____

Sur le même modèle, présentez une région de votre pays.

● _____

_____

_____

_____

_____

■ Décrire des lieux - <u>Décrire une maison</u> ■

128 À CHAQUE RÉGION SA MAISON !

〈〈 Les maisons traditionnelles s'adaptent au climat et aux matériaux de la région.
〈〈 C'est une région où il neige beaucoup ? Alors il faut un toit très incliné. C'est une
〈〈 région où il fait froid ? Alors, il ne faut pas d'ouvertures trop grandes. Il y a
〈〈 beaucoup de forêts ? Alors, on peut construire des maisons en bois...

Décrivez ces deux types de maisons.

Maison du Queyras.   *Maison vendéenne.*

Pour vous aider, vous pouvez penser aux éléments suivants :
- les matériaux (pierre, bois, briques, tuiles),
- le toit (plat/en pente, incliné),
- les ouvertures – portes et fenêtres (hautes, basses, larges, étroites),
- la maison (petite/grande, à un étage ou à plusieurs),
- les éléments extérieurs (balcons, terrasses, volets),
- les couleurs...

_____

---

129 Décrivez votre maison idéale.

Où est-elle ? (*ville ? campagne ? bord de mer ?*)
Est-elle grande ou petite ?
De quelle couleur est-elle ?
En quels matériaux ?
Y a-t-il un ou plusieurs étages ?
Combien de pièces y a-t-il ?...

Pour vous aider, vous pouvez aussi lire cette petite note sur la maison idéale des Français.

> Une grande majorité de Français préfèrent vivre dans une maison individuelle
> plutôt que dans un appartement.
> Pour eux, la maison doit être chaleureuse, favoriser les relations entre les membres
> de la famille. La cuisine est une pièce très importante, ils la veulent bien équipée
> pour la préparation des repas et assez grande pour pouvoir manger ensemble les
> jours « ordinaires ». Le séjour aussi doit être spacieux.
> Mais les Français demandent en même temps à la maison de garantir
> l'indépendance de chacun. Par exemple, ils préfèrent séparer nettement le domaine
> des parents et celui des enfants. Ils veulent plusieurs salles de bains.
> Aujourd'hui, on travaille souvent à la maison, et beaucoup ont un ordinateur.
> Alors, il faut un bureau.
> On veut aussi une maison ouverte sur l'extérieur, avec de l'air et de la lumière, et
> très accessible.
> Le jardin, enfin, est très important : les Français adorent jardiner et puis c'est un
> espace de jeux pour les enfants.

_____

Arc-et-Senans.

Pour décrire un monument, en général,
- on le situe (dans une région ou dans une ville),
- on donne l'époque de sa construction,
- on dit qui l'a construit et/ou qui l'a fait construire,
- on précise sa fonction (actuelle et/ou passée),
- on précise son importance (historique ou touristique),
- on décrit son aspect extérieur (ses dimensions, sa forme, son style, ses matériaux…),
- on peut ensuite décrire l'intérieur ou simplement une ou deux choses particulières.

Mais tous ces éléments ne sont pas toujours présents.

Lisez la description de la saline d'Arc-et-Senans.

La saline royale d'Arc-et-Senans est une des réalisations majeures de l'œuvre avant-gardiste de Claude-Nicolas Ledoux, l'un des plus grands architectes du siècle des Lumières. Témoignage majeur de l'architecture industrielle du XVIIIᵉ siècle, ce monument en demi-cercle, de style néo-classique, regroupant les lieux de production du sel et les habitations des ouvriers, est classé au patrimoine mondial de l'Unesco.

Construite de 1775 à 1779, la saline utilisait le bois de la forêt voisine de Chaux pour produire le sel. La matière première, la saumure (mélange de sel gemme et d'eau), était extraite de l'ancienne saline de Salins-les-bains.

Aujourd'hui, la saline royale abrite une exposition sur la production de sel, un musée retraçant l'œuvre de cet architecte éclairé. L'institut Ledoux, qui gère et anime la saline, accueille des expositions temporaires et organise des événements tout au long de l'année. C'est aussi un centre d'accueil bien équipé pour l'organisation de colloques, séminaires de réflexion.

http://www.fc-net.fr/CRT/saline.html

Complétez le tableau : retrouvez dans le texte les informations qui correspondent
à chaque point.

Situation	*non précisée*
Époque	
Architecte	
Fonction originelle du bâtiment	
Fonction actuelle	
Importance de ce monument	
Dimensions	*non précisées*
Forme	
Style	
Matériau	*non précisé*

131

Gaudi, *La Pedrera*, Barcelone.

Lisez les deux textes suivants : un extrait de guide et un passage de lettre.

La Casa Milà (« La Pedrera »), *Barcelone*

C'est l'une des plus célèbres réalisations de Gaudi. Appelé communément « La Pedrera », ce bâtiment a été construit
au début du XXe siècle grâce au mécénat de la noble famille des Milà.
Le bâtiment est une authentique explosion de fantaisie. Sa présence sur le Passeig de Grácia est imposante et dépasse
en beauté tous les bâtiments qui l'entourent. La façade, d'une architecture pleine de subtilités, rappelle le
mouvement de la mer. Admirer les grilles extrêmement raffinées des fenêtres. La visite guidée par les toits permet
de découvrir une vue imprenable de tout le quartier ainsi que les cheminées et les bouches d'aération aux formes
fantasmagoriques et inquiétantes.

Barcelone et la Catalogne, *Le Guide vert*, Michelin.

> _l'amour en traversant les âges marque d'actualité_
>
> Barcelone, bien sûr, c'est la ville de Gaudi! J'ai beaucoup
> aimé la Pedrera, une maison fantastique au cœur
> de la ville, avec une façade en mouvement. On peut
> monter sur le toit et là, on est au milieu de cheminées
> extraordinaires, sorties d'un conte. Rien n'est droit
> dans cette maison.
>
> _en traversant les_

⊝ La description d'un monument dans un guide et celle qu'on fait dans une lettre amicale sont différentes.

a) Quels éléments de la description sont communs aux deux textes ?

● _____

_____

b) Vous avez visité la saline d'Arc-et-Senans. Vous envoyez une carte postale à vos amis. Écrivez la carte.

> La carte postale est bien sûr beaucoup plus simple que le guide et elle donne votre opinion sur le monument.

Saline royale d'Arc-et-Senans
Architecte Claude-Nicolas Ledoux
Le Bâtiment du directeur

....

....

....

....

132

Pour décrire un parc d'attractions ou un écomusée (un musée en plein air),
on peut retenir les points suivants :
- la situation
- le thème
- l'objectif
- le public visé
- les dimensions
- les principales attractions
- l'organisation
- le nombre de visiteurs
- la période d'ouverture
- la durée moyenne de la visite
- le prix d'entrée

Vulcania, le Parc européen du volcanisme, est un parc de loisirs qui propose une initiation à la volcanologie et aux sciences de la Terre.

Il est situé près de Clermont-Ferrand, au cœur des volcans d'Auvergne, en bordure de la chaîne des Puys.

Deux éléments de son architecture rappellent étroitement sa fonction : le cône qui s'élève à 27 mètres de hauteur et le cratère, profond de 38 mètres, qui est creusé dans d'anciennes coulées de lave.

Son but est de faire découvrir de manière vivante à un large public les différentes manifestations volcaniques. En 2005, à Vulcania, on peut même marcher sur les volcans de la planète Mars ! Il y a aussi un parcours-aventure aménagé spécialement pour les enfants et un jardin volcanique qui permet de découvrir une flore particulière.

a) **Lisez la présentation du parc d'attractions Vulcania.** Quels points retrouvez-vous dans cette description ? _____

_____

b) **Décrivez à votre tour un parc d'attractions que vous connaissez.**

●_____

_____

_____

_____

_____

_____

_____

_____

133 À partir de ces notes, rédigez la présentation du futur musée des Arts premiers à Paris.

✓ Cœur de Paris, rives de la Seine
✓ Arts d'Afrique, d'Océanie, d'Asie, des Amériques
✓ Architecte : Jean Nouvel (déjà l'architecte de l'Institut du monde arabe à Paris)
✓ Ouverture en 2006
✓ Aspect extérieur du bâtiment : comme un pont, en partie habillé de bois
✓ Grand jardin de 18 000 m²
✓ Volumes des salles d'expositions adaptés aux pièces exposées
✓ salles de collections permanentes, salles d'expositions temporaires, médiathèque, auditorium, salles de cours et de conférences
✓ 178 arbres
✓ Protégé de la circulation et caché à la vue des passants

Organisez votre présentation : regroupez, par exemple, les points qui concernent l'extérieur du musée.

■ **Décrire des lieux - Décrire des lieux imaginaires** ■

134 Il y a le pays où on ne parle pas. C'est un pays bizarre, parce qu'il n'est pas loin du tout, il est tout près des autres pays, les pays où l'on parle. […] Pour y arriver […], il faut traverser les pays où l'on parle. Toutes ces villes avec toutes ces rues, où ça parle sans arrêt, avec de grandes lettres rouges, avec des mots qui vibrent dans les haut-parleurs, et les haut-parleurs dans l'estomac.
Dans le pays où les gens ne parlent pas, tu ne rencontres personne, c'est toujours au hasard. Les heures n'ont pas d'importance, personne ne les guette en haut des tours. Les rues n'ont pas de commencement, et tu es ici ou bien là, c'est la même chose. Les gens n'ont pas de nom, enfin je veux dire pas de nom à eux.

J.M.-G. Le Clézio, *Voyages de l'autre côté* © Editions Gallimard.

La ville de Léonie se refait elle-même tous les jours : chaque matin, la population se réveille dans des draps frais, elle se lave avec des savonnettes tout juste sorties de leur enveloppe *, elle passe des peignoirs flambant neufs **.

Les Villes invisibles, Italo Calvino,
© Editions du Seuil, 1974, pour la traduction française, coll. Points, 1996.

Comme Le Clézio ou Calvino, créez vous aussi votre pays ou votre ville imaginaire et décrivez-le/la.

Voici quelques idées pour vous aider :
* le pays où tout le monde est riche,
* la ville où tout le monde court,
* le pays où les adultes agissent comme des enfants,
* le pays où tout le monde est jeune.

● _____

_____

_____

_____

* des savonnettes encore jamais utilisées, qu'on vient de sortir de leur emballage.
** complètement neufs.

135 **a) Lisez le poème.**

b) Regardez le tableau de Magritte.

NOMADE

La porte qui ne s'ouvre pas
La main qui passe
         Au loin un verre qui se casse
La lampe fume
Les étincelles qui s'allument
    Le ciel est plus noir
         Sur les toits

Quelques animaux
Sans leur ombre

    Un regard
    Une tache sombre

Pierre REVERDY, *Anthologie de la poésie
française du XXe siècle*, Gallimard.

Sur le modèle du poème, par petites touches simples, décrivez les impressions, les images que le tableau évoque pour vous.

_____

_____

_____

_____

_____

_____

_____

_____

_____

_____

Vous pouvez aussi, de cette manière, évoquer des souvenirs liés à des maisons.

_____

_____

_____

_____

_____

_____

_____

_____

_____

_____

■ 3. Décrire un travail ■

136 Un journaliste a interrogé Delphine sur son travail. **Lisez l'article rédigé à la suite de l'interview.**

TRAVAILLER ICI ET LÀ-BAS

Delphine a 30 ans. Elle a fait l'école d'infirmières de Pau et elle est devenue infirmière au centre hospitalier de cette ville. Elle a suivi ensuite une spécialisation en nutrition.

C'est cette spécialisation qui lui a permis de partir pour plusieurs missions avec une organisation humanitaire, Action contre la faim. Elle vient de rentrer d'une mission de six mois en Angola, dans une région particulièrement touchée par la guerre qui a pris fin en 2002. Elle a participé à des distributions alimentaires pour des populations en difficulté. Son rôle était aussi de conseiller les mères pour l'alimentation des jeunes enfants.

Elle a retrouvé facilement un travail dans un service de médecine générale à l'hôpital de Pau. Mais elle a l'intention de repartir pour d'autres missions humanitaires car la complémentarité du travail en France et dans des pays du Sud est très importante pour elle. Elle pense que c'est très bien d'avoir une vision large du monde. Elle trouve que les deux expériences sont intéressantes et se complètent. Pour les deux, il faut avoir, selon elle, beaucoup d'écoute des autres, de disponibilité… et aussi d'optimisme pour garder le moral tous les jours !

À partir de l'article, imaginez les réponses de Delphine aux questions posées par le journaliste.

1. Quelle a été votre formation ? _____

2. Où êtes-vous partie pour votre dernière mission ? _____

3. En quoi consistait votre travail là-bas ? _____

_____

4. Où travaillez-vous actuellement ? _____

5. Voulez-vous rester en France ? _____

6. Quel travail préférez-vous : ici ou là-bas ? _____

_____

7. Quelles qualités vous paraissent nécessaires pour votre travail ? _____

_____

_____

137 Lisez le portrait suivant.

Un métier entre forêt et dossiers

Christelle, ingénieur Eaux et forêts.

ÉTUDES : *Classe préparatoire puis formation d'ingénieur forestier de l'École nationale du génie rural des eaux et forêts.*

Christelle est chef de division de l'Office national des forêts (ONF) pour deux départements du Sud-Ouest : la Haute-Garonne et le Gers. « Nous gérons 250 forêts publiques. Mon travail consiste à réaliser des plans de gestion de chaque forêt avec cartes, schémas et tableaux qui dressent le portrait de la forêt. Je fixe aussi un planning d'aménagement (par exemple création d'une aire de pique-nique...) ou d'intervention (il faut couper des arbres ou au contraire en préserver certains...) d'ici dix à vingt ans. J'alterne le travail sur le terrain, dans la forêt, et le travail de bureau : réunions, dossiers et réalisation des cartes. »

L'ingénieur dirige une équipe et fait appel aussi à des organismes extérieurs. « Ce travail demande beaucoup d'énergie et de temps. Mais il est très varié et on travaille sur du vivant. C'est passionnant ! »

D'après *Phosphore*, juillet 2001.

Quelles questions le journaliste a-t-il posées pour obtenir les informations qui correspondent aux passages soulignés ?

1. _____

2. _____

3. _____

4. _____

5. _____

6. _____

7. _____

138 Un magazine présente des « métiers d'avenir ». La description de chaque métier est organisée en trois paragraphes : une brève introduction, la description de la fonction et les « voies d'accès », c'est-à-dire la formation et/ou l'expérience demandée(s) pour cet emploi.

Lisez les présentations de trois métiers.

Retrouvez les trois paragraphes qui correspondent à chaque profession.

- Directeur de l'innovation sociale :   .... / .... / ....
- Cryptographe : .... / .... / ....
- Responsable développement durable : .... / .... / ....

INTRODUCTION

1. Depuis 2002 et le sommet de Johannesburg, cette fonction se met en place dans tous les grands groupes.
2. Un des postes en pointe dans les ressources humaines.
3. La demande pour cette profession n'est pas près de se ralentir avec le développement du commerce électronique, des télévisions à péage et de la téléphonie.

DESCRIPTION DE LA FONCTION

a. Ce cadre expérimenté gère tous les problèmes qui engagent la responsabilité sociale de l'entreprise : maladies professionnelles, inégalité des salaires et des évolutions de carrières... Il organise des formations, par exemple à la gestion du stress ou à la prévention des accidents du travail. Son rôle est aussi de veiller à l'équilibre des embauches : entre les débutants et les confirmés, les femmes et les hommes, etc.

b. Ce spécialiste a pour mission de sécuriser les communications, les paiements en ligne, les bases de données, les intranets... Il aide le chef de projet sécurité à les mettre en place.

c. Ce cadre veille au respect des nouvelles normes de qualité et d'environnement par l'entreprise. Il doit éviter les polémiques avec les consommateurs. Il suggère bien sûr des solutions.

VOIES D'ACCÈS

A. Diplôme d'ingénieur ou maîtrise en maths complétée par un troisième cycle.
B. Dix ans d'expérience au moins et une formation juridique, commerciale, ou d'ingénieur.
C. Elles sont très variées. Le poste peut être confié à un cadre issu des ressources humaines, de la communication, du management de projets.... Mais au moins dix ans d'expérience sont nécessaires. Avoir travaillé à l'étranger est un atout, surtout dans un grand groupe.

D'après *Capital*, n° 154.

139 Décrivez le travail de deux des personnes suivantes :

a) expert-conseil automobile pour une compagnie d'assurances,
b) accompagnateur de randonnées,
c) webmaster,
d) attaché/e de presse,
e) steward/hôtesse de l'air.

> Pour décrire un travail, on peut utiliser les expressions suivantes :
> - *il/elle doit + infinitif*
> - *il/elle a pour mission de + infinitif*
> - *son rôle est de + infinitif*
> - *son travail consiste à + infinitif*
> - *il s'agit de + infinitif*
>
> Ou encore :
> - *il/elle s'occupe de + nom*
> - *il/elle est chargé(e) de + nom*

Essayez d'abord de les décrire avec les mots que vous connaissez déjà. Mais, pour vous aider, voici du vocabulaire correspondant aux professions ci-dessus :

a) aller voir la voiture accidentée, identifier la cause de l'accident, estimer les réparations ;
b) organiser des itinéraires, prévoir la durée des randonnées, trouver et réserver le logement, s'occuper des repas, veiller à la sécurité, accompagner les groupes de marcheurs, leur faire découvrir les lieux intéressants ;
c) créer, développer, gérer un site Internet ;
d) promotion d'une société : discuter avec le client pour connaître ses désirs, ses objectifs, élaborer un plan de communication, contacter la presse, organiser des événements pour lancer un produit ;
e) accueil et service des passagers à bord d'un avion : veiller à leur sécurité et à leur confort, trouver des solutions aux petits problèmes.

140 Vous pouvez maintenant décrire votre propre travail ou le travail d'une personne de votre famille ou encore une profession que vous connaissez bien.

Décrivez aussi la formation nécessaire.

Dites quelles qualités sont importantes pour cette profession.

Sur le même modèle, inventez un nouveau métier et décrivez-le.

Voici quelques propositions (mais vous pouvez avoir d'autres idées !) :
- coiffeur de girafes
- applaudisseur
- marchand de sable*
- hôtesse de l'air sur OVNI**

Précisez aussi le lieu et les horaires de travail.

* En France, on dit aux enfants : « le marchand de sable est passé » quand ils commencent à avoir sommeil, quand leurs yeux piquent.

** OVNI : objet volant non identifié.

- _____
- _____
- _____
- _____

142

Le menuisier

J'ai vu le menuisier
Tirer parti du bois

J'ai vu le menuisier
Comparer plusieurs planches

J'ai vu le menuisier
Caresser la plus belle

J'ai vu le menuisier
Approcher le rabot

J'ai vu le menuisier
Donner la juste forme

Tu chantais, menuisier,
En assemblant l'armoire

Je garde ton image
Avec l'odeur du bois

Moi j'assemble des mots
Et c'est un peu pareil.

Eugène GUILLEVIC, *Terre à bonheur* © Seghers.

Lisez le poème.

Sur le même modèle, décrivez un métier de votre environnement quotidien (Ex. un boulanger, un facteur, une marchande de fruits et légumes, une fleuriste...).

Retrouvez l'un après l'autre les gestes qu'il ou elle fait. Commencez vos phrases par « J'ai vu... » et essayez de trouver une jolie fin.

- _____

2. RACONTER UNE EXPÉRIENCE PERSONNELLE, UN ÉVÉNEMENT
■ 1. Raconter un voyage ■

JEUDI : Lyon. <u>Matin</u> : visite de la presqu'île : promenade sur les quais de Saône, dans les rues du Vieux-Lyon, visite de Saint-Jean. Déjeuner dans un « bouchon »*. <u>Après-midi</u> : Musée des tissus, montée sur la colline de Fourvière.
Départ en TGV à Avignon. Arrivée tardive à l'hôtel (charmant, en plein centre).

VENDREDI : réveil matinal, promenade dans le quartier, café sur la célèbre place de l'Horloge (soleil, animation), visite du palais des Papes.
Location d'une voiture. Départ pour Aix-en-Provence. Route à travers le Luberon (très beau paysage, traversée de jolis villages pittoresques). Arrivée à Aix (circulation, hôtel difficile à trouver, fatigue).

SAMEDI : découverte d'Aix, belles maisons anciennes, fontaines. Visite atelier Cézanne. Petit tour jusqu'à la montagne Sainte-Victoire (coucher de soleil, lumière magnifique).
<u>Nuit</u> : chambre d'hôtes dans la campagne aixoise (maison charmante).

DIMANCHE : départ matinal. Bord de mer. Cassis (falaises impressionnantes, mer parfaitement bleue).
Déjeuner terrasse sur le port (un peu trop de monde).
<u>Après-midi</u> : route des crêtes, très belle vue sur la Méditerranée. Marche sur un sentier : me suis perdue! mais retrouvée... Retour à Avignon pour rendre la voiture. Train pour Lyon.

À partir des notes prises rapidement au cours de son voyage, Rebecca rédige maintenant son journal.

a) Écrivez le récit correspondant à la première journée, c'est-à-dire à jeudi. Le récit est au passé.

Vous voulez raconter une suite d'actions.
Marquez les étapes avec, par exemple :
- d'abord,
- puis/ensuite,
- enfin/finalement.
- plus tard, après,
- avant de (+ infinitif), après (+ infinitif passé),
- le lendemain, deux heures plus tard...

● _____
' _____
_____
_____
_____
_____

* *Les bouchons sont des petits restaurants typiquement lyonnais où l'on sert, sur des nappes à carreaux rouges et blancs, des spécialités de la ville arrosées de vins de la région, le Beaujolais en particulier.*

_____

_____

_____

b) Continuez avec les journées suivantes. Rebecca a noté des actions, des événements mais elle a aussi ajouté des précisions.

> N'oubliez pas : dans un récit au passé, les événements, les actions sont au passé composé mais les circonstances (les explications, les précisions) sont à l'imparfait.

● _____

_____

_____

_____

_____

_____

_____

_____

_____

144 À la dernière page de son journal, Rebecca a écrit :

> ### REMERCIEMENTS
>
> J'ai rencontré beaucoup de personnes très sympa :
> à Lyon : un vieux monsieur amoureux de son quartier,
> à Avignon : le garçon de café,
> dans un village du Luberon : un Anglais devant sa maison,
> à Aix : un agent de police, le gardien du musée Cézanne,
> les maîtres de maison de ma chambre d'hôtes,
> près de Cassis : des promeneurs sur le chemin.

Imaginez ces rencontres : qu'est-ce qui s'est passé ? Pourquoi Rebecca garde-t-elle un bon souvenir de ces personnes ?

Ex. Dans une rue du quartier Saint-Jean, un vieux monsieur rentrait chez lui avec son journal à la main. Il n'était pas pressé, il avait envie de parler. Il m'a raconté beaucoup de choses sur le quartier : il a toujours habité là. Il m'a indiqué plusieurs cours à voir et m'a guidée lui-même dans une traboule*.

* Les traboules sont des passages couverts, des allées, qui traversent un ou plusieurs bâtiments pour relier deux rues parallèles. Elles peuvent cacher une ou plusieurs cours intérieures.

_____

_____

_____

_____

_____

■ 2. Raconter un souvenir ■

145 *Rentrée* ● **21 septembre 1961**. C'est le jour de la rentrée des classes au lycée, au grand lycée de Lille ; j'attends le tramway sur la place de Wattignies, le village où j'habite, et qui est à huit kilomètres de la grande ville.

En face mon école primaire : « École Pasteur » ; c'est écrit en lettres d'imprimerie sur la façade à côté de la grande porte d'entrée dans un carré blanc comme sur un écran de cinéma. Il fait froid, j'ai encore sommeil et j'ai mal au ventre. […]

Soudain, la porte de l'école s'ouvre et M. D., le directeur, me regarde ; il rentre et ressort aussitôt après avoir mis son imperméable gris et son chapeau, il ressemble à un détective privé, surtout qu'il est très grand. Il va vers sa « Versailles* » bleue qui est grande comme un bateau ; il démarre, il fait le tour de la place, se gare devant moi, ouvre la portière et me dit de monter. […]

Arrivé au lycée, il s'arrête, je descends : « Merci M'sieur. » Il me tend la main, on se serre la main et il me dit : « Bon courage M'sieur… » Et je m'en vais vers la foule des enfants qui attendent sur le boulevard devant la porte d'entrée de mon « nouveau » lycée.

Christian, *Mémoires de maîtres, paroles d'élèves*, Radio France - Librio.

Christian se souvient de sa rentrée au lycée : il raconte un événement qui l'a particulièrement marqué.

> Pour évoquer un souvenir, en général :
> • on décrit les circonstances, la situation,
> • on raconte ce qui s'est passé,
> • on décrit ses sentiments à ce moment-là,
> • quelquefois, on fait un commentaire.

a) Dans le récit de Christian, retrouvez :

- le moment : _____
- le décor : _____
- ses sentiments : _____

Qui est le personnage principal de son histoire ? _____

* C'est la marque d'une voiture de la fin des années 1950.

Racontez l'histoire en une phrase. _____

_____

b) Christian ne fait pas de commentaire mais on le devine : « C'était très impressionnant pour moi et complètement incroyable d'aller au lycée conduit par le directeur de l'école. Je n'ai jamais oublié. »

Christian raconte ce souvenir au présent. On peut aussi le raconter au passé :
21 septembre 1961. C'était le jour de la rentrée des classes au lycée, au grand lycée de Lille ; j'attendais le tramway sur la place de Wattignies, le village où...

Continuez le texte. _____

_____

_____

_____

_____

_____

_____

_____

_____

_____

_____

_____

_____

_____

146 Voici maintenant un autre souvenir. **Lisez le texte et répondez aux questions.**

ARRIVÉE À ORLY

Quand j'ai posé précautionneusement un pied puis l'autre sur le sol de France, je n'étais pas moins émue que le premier homme piéton sur la lune. Marie-Claire m'a donné une petite bourrade et j'ai avancé comme un automate. Malgré le chandail que j'avais enfilé avant de sortir de l'avion, le froid est tombé sur moi avec la même férocité qu'un cyclone jaloux de la quiétude d'une petite île des Caraïbes. Autour de moi, les gens se pressaient, un masque de clown triste jeté sur la figure. Je m'attendais à voir davantage de Blancs mais, à première vue, il n'y en avait pas plus qu'en Guadeloupe.

Gisèle PINEAU, *Un papillon dans la cité*, Sépia.

a) Quel est le sentiment éprouvé par l'arrivante ? _____

b) Quelles sont ses deux premières impressions de la France ? _____

_____

_____

c) D'où vient-elle ? _____

147 À votre tour, racontez un souvenir.

Par exemple, racontez votre premier jour d'école/de lycée, votre premier examen, votre premier travail, votre premier voyage hors de votre pays ou de votre ville.

Décrivez les événements, mais aussi les circonstances *(c'était où ? quand ?)*, les personnages principaux *(comment étaient-ils ?)*, vos sentiments *(vous étiez heureux, inquiet, fier, triste, confiant… ?)*.

Ajoutez un commentaire.

● _____

_____

_____

_____

_____

_____

■ 3. Raconter un fait divers ■

148 Voici le titre d'un article de presse : **Cinquante professeurs pour deux élèves**.

L'article qui correspond à ce titre doit certainement répondre aux questions suivantes : *Où ? Quand ? Pourquoi ? Qu'est-ce qui s'est passé ?*

Imaginez des réponses à ces questions. Rédigez l'article.

_____

_____

_____

_____

_____

_____

_____

149 a) Lisez l'article.

MARQUISE (AFP) - Le lycée professionnel des Deux-Caps à Marquise (Pas-de-Calais) a probablement battu le record du taux d'encadrement lundi, tous les professeurs étant présents pour accueillir deux élèves, a-t-on appris auprès de la direction. « Ce matin, nous avons eu deux élèves qui se sont présentés, sur 300. Et zéro gréviste parmi la cinquan-taine de professeurs », a indiqué une secrétaire de l'établissement, interrogée par un correspondant de l'AFP.

Devant le succès de la journée de solidarité du lundi de Pentecôte* dans son établissement, le proviseur a décidé de renvoyer les deux courageux chez eux et de fermer l'établissement jusqu'à mardi.

* Une loi votée en juin 2004 par le Parlement français a institué une « journée de solidarité pour l'autonomie des personnes âgées et des personnes handicapées » : à partir de 2005, les salariés donnent une journée de travail pour financer des mesures d'aide à ces personnes et travaillent un jour de plus. L'État (donc le ministère de l'Éducation) et beaucoup d'entreprises ont choisi le lundi de Pentecôte qui est un jour férié en France. Mais cette loi est très contestée et il y a eu beaucoup d'appels à ne pas travailler ou à ne pas envoyer les enfants à l'école ce jour-là.

Le lundi soir, dans un courriel à un ami allemand, un des deux « courageux » raconte sa journée. Il est ou très content de cette journée de liberté inespérée, ou au contraire très fâché parce qu'il a perdu son temps ; il habite loin du lycée.

b) Choisissez votre version et écrivez le récit de la journée.

> Salut Benjamin ! 🙁
> Super* journée! Hier, j'ai essayé de dire à mes parents que le lundi de Pentecôte je pouvais rester dans mon lit. Mais ils n'ont pas voulu m'écouter. Alors, comme tous les lundis…

● _____

_____

_____

_____

_____

_____

_____

_____

* « Super » est normalement très positif mais on peut aussi l'utiliser avec un sens opposé. C'est donc une excellente journée ou au contraire une très mauvaise journée.

■ 4. Raconter une rencontre ■

150

> RUES MADAME ET MONSIEUR
>
> Il allait un jour par la rue Madame
> Un jour elle allait par la rue Monsieur
> Dans la rue Madame y a du macadam
> Il n'y en a pas moins dans la rue Monsieur
>
> Il marchait heureux dans la rue Madame
> Calme elle passait dans la rue Monsieur
> Un beau jour sans drame dans la rue Madame
> Un jour délicieux dans la rue Monsieur
>
> [...]
>
> Il s'en est allé par la rue Madame
> Elle s'en est allée par la rue Monsieur
> Dans la rue Madame y a du macadam
> Il n'y en a pas moins dans la rue Monsieur
>
> Jacques ROUBAUD, *Poèmes à suivre*, Gallimard.

Imaginez ce qui s'est passé entre le début et la fin du poème.

Ils se sont rencontrés : dans la rue Madame ? dans la rue Monsieur ? Et alors ?

● _____

_____

_____

_____

_____

_____

_____

_____

_____

3. ÉCRIRE DES BIOGRAPHIES IMAGINAIRES

151

Carmen est une poupée espagnole. Elle a l'air bien sage, sur son fauteuil. Mais elle a eu aussi une vie mouvementée. **Racontez-la.**

Vous pouvez parler de Carmen comme d'une personne. Dans quels lieux a-t-elle vécu ? Qui a-t-elle connu/aimé/ détesté ? Quels voyages a-t-elle faits ? A-t-elle été heureuse ou malheureuse ?

Vous pouvez raconter sa vie à la troisième personne : « Elle... » ou la faire parler directement : « Je m'appelle Carmen. Je... ».

 _____

_____

_____

_____

Lisez la biographie du peintre Paul Cézanne.

Paul Cézanne (1839-1906) naît à Aix-en-Provence dans une famille aisée. De 1852 à 1858, il fréquente le Collège Bourbon. Il commence sans enthousiasme des études de droit à l'université d'Aix. Dès 1861, il fait de longs séjours à Paris et, en 1862, il abandonne le droit pour se consacrer uniquement à la peinture. À Paris, il se lie avec tous les peintres de la « nouvelle école », Renoir, Pissarro, Manet, Monet. En 1869, il fait la connaissance d'un jeune modèle, Hortense Fiquet. Pendant la guerre de 1870*, il vit à L'Estaque, à côté de Marseille. Il revient ensuite dans la capitale et, en 1872, il s'installe pour deux ans, d'abord à Pontoise puis à Auvers-sur-Oise, pour travailler auprès de Pissarro. En 1874, il participe à la première exposition collective des impressionnistes mais n'obtient aucun succès. Il expose encore en 1877 mais ses toiles sont aussi mal accueillies. À la suite de ce nouvel échec, il s'éloigne du groupe des impressionnistes et continue en solitaire ses recherches sur l'expression des formes et des volumes par la couleur. Il partage sa vie entre la région parisienne et la Provence. En 1886, c'est la rupture avec Zola**, qui a fait dans un de ses romans, L'Œuvre, le portrait d'un peintre raté. En 1887, après la mort de son père, il vit et peint de plus en plus en Provence. Il reste largement ignoré ou incompris jusqu'en 1895 : cette année-là, le marchand de tableaux Ambroise Vollard lui consacre une exposition et ses anciens amis mais aussi de jeunes artistes et des critiques d'art le découvrent. En 1906, un orage le surprend dans la campagne d'Aix où il est en train de peindre, il prend froid et meurt d'une pneumonie. « Nous sommes tous partis de Cézanne », dira Fernand Léger et Matisse confiera : « Cézanne, voyez-vous, est bien une sorte de bon Dieu de la peinture. » Une belle revanche pour « le Maître d'Aix », considéré aujourd'hui comme le père du cubisme.

a) Intégrez à cette biographie les précisions suivantes, dans l'ordre où elles sont données. Faites les modifications nécessaires pour éviter les répétitions, lier les phrases.

- Au Collège Bourbon, il devient l'ami de Zola.
- Hortense devient sa compagne. Elle lui donne un fils, Paul, né en 1872.
- Cézanne considère Pissarro comme son maître.
- En Provence, il peint une première série de Montagne Sainte-Victoire.
- Cézanne croit se reconnaître dans le portrait du peintre raté et il en est profondément blessé.
- Son père lui laisse un héritage important.
- À partir de l'exposition de 1895, on commence à reconnaître l'originalité et la modernité de Cézanne en France mais aussi à l'étranger.

b) Ce texte est difficile à lire parce qu'il est trop compact : faites des paragraphes pour l'aérer. Vous pouvez par exemple séparer :

- les années de jeunesse, la formation du peintre,   - les échecs, les années difficiles,
- la découverte tardive de Cézanne,   - le jugement des peintres cubistes sur son œuvre.

Indiquez les premiers et les derniers mots de chaque paragraphe :

Paul Cézanne naît à Aix. / _____

_____ / _____

_____ / _____

_____ / *le père du cubisme.*

* La guerre de 1870 a opposé la France à la Prusse et s'est terminée par la défaite de la France à Sedan et la capitulation de Napoléon I
** Émile Zola est un écrivain, l'auteur de Germinal, de Nana et de beaucoup d'autres romans. Vous l'avez rencontré dans l'activité 120.

Vous pouvez encore couper en deux les trois premiers paragraphes. Sur quelles dates choisissez-vous de faire ces coupures ?

Paragraphe 1 : _____

Paragraphe 2 : _____

Paragraphe 3 : _____

c) Relevez toutes les expressions de temps utilisées dans ce texte.

Les expressions qui situent un événement par rapport à une date :

● _____

Les expressions qui situent un événement par rapport à un autre :

● _____

a) Imaginez successivement la biographie de ces deux hommes jusqu'à cette rencontre dans le métro. Donnez-leur une identité, un prénom, un nom.

Où sont-ils nés ? En quelle année ? Dans quel milieu familial ? Leurs études (*brillantes, bonnes, difficiles, Jusqu'à quel niveau*) ? Leur vie ensuite (*les départs et les retours, les rencontres, amitiés, amours ou les séparations/ ruptures*) ? Leur carrière (*les réussites et/ou les échecs*) ?

Rédigez deux textes distincts. Utilisez les expressions de temps que vous avez vues.
Faites au moins deux paragraphes : un pour la jeunesse, un pour la vie d'adulte.

● _____

_____

● _____

_____

b) Cette rencontre change les choses. **Imaginez une suite (heureuse !).**

Pour vous aider, vous pouvez vous reporter au vocabulaire de l'activité 123.

En situation d'interaction écrite, on doit écrire une lettre, une carte postale, un message électronique, un petit mot, quelquefois en réponse à un écrit.

Il faut bien considérer deux points.

• Pour quoi écrit-on ? Pour inviter, pour accepter une invitation, pour donner des nouvelles, pour s'excuser, pour remercier… ? On doit adapter son message à son intention.

• À qui écrit-on ? Connaît-on le destinataire ? Un peu, beaucoup, pas du tout ? Il faut choisir les formules adaptées : quand on écrit à un(e) ami(e ou à un(e) inconnu(e), on n'utilise ni les mêmes mots ni le même ton.

La lettre, le courriel, la carte ont aussi des présentations différentes.

En outre, comme pour n'importe quel écrit, on doit organiser son texte, éviter les répétitions, faire attention à la ponctuation, à l'orthographe.

En situation d'interaction écrite, on peut aussi être amené à prendre en notes un message téléphonique ou bien encore à remplir un formulaire : cela signifie être clair(e), répondre précisément aux questions, noter et transmettre fidèlement un appel ou, enfin, lire les indications qui figurent sur un formulaire et y reporter les renseignements demandés.

Les activités qui suivent ou les pistes suggérées dans les encadrés ⓒ vous permettent de développer ces stratégies.

1. CORRESPONDANCE

154

> Tarbes, le 31 mars 2005
>
> Chère Françoise,
>
> Comme prévu, Hélène et Jean-Philippe se marient le 18 juin prochain à Arrens, à 14 h 30 à la mairie et à 16 h à l'église.
> J'espère que tu n'as encore aucun projet de vagabondage pour cette date car inutile de te dire que nous comptons tous vivement sur ta présence.
> Nous prévoyons de loger tout le monde sur place, la nuit du 18 au 19…
> pour prolonger la fête. Essaie de t'organiser au mieux pour rester quelques jours de plus dans notre jolie région !
> Nous t'embrassons.
>
> Brigitte

Brigitte, la mère de Jean-Philippe, vous a envoyé cette lettre d'invitation.
Des raisons professionnelles ou personnelles vous empêchent d'y répondre favorablement.
Vous envoyez un petit mot d'excuse.
Vous pouvez : • d'abord, féliciter les futurs mariés,
• ensuite, regretter de ne pas être libre ce jour-là et expliquer pourquoi,
• dire que vous espérez aller les voir très bientôt,
• demander quel cadeau ferait plaisir au jeune couple.

Terminez par une formule amicale.

_____

_____

_____

_____

_____

> Rappelez-vous ce qu'on fait en général quand on s'excuse : on dit qu'on regrette, on donne une explication, on propose quelque chose en « réparation ».

155 Vous avez déjà séjourné à Tourrettes-sur-Loup et vous voulez y retourner.

Vous réservez une chambre dans la même chambre d'hôtes. Deux jours avant votre arrivée, vous êtes obligé(e) d'annuler votre séjour, **vous envoyez un courriel pour vous excuser.**

Vous pouvez : • dire que vous êtes sincèrement désolé(e) de ce changement,
* vous excuser auprès de la propriétaire,
* lui souhaiter de trouver rapidement un(e) autre client(e),
* rappeler combien que vous avez apprécié son accueil et sa cuisine,
* promettre d'y retourner dès que possible.

Terminez par une formule de politesse.

> À votre avis, pouvez-vous utiliser une formule amicale ici ?

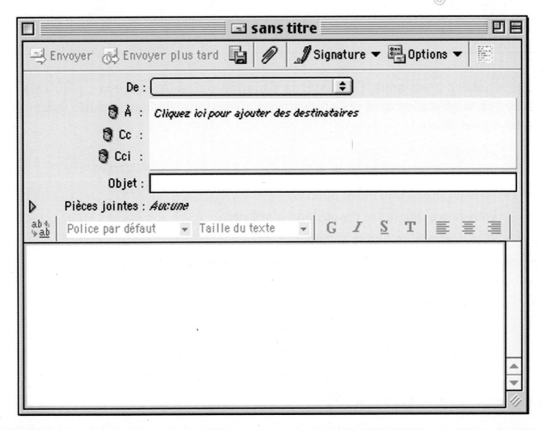

156 Vous recevez cette petite lettre.

Strasbourg, le 10 février 2005

Salut !

Comment vas-tu ?

Nous, nous pensons déjà aux vacances !! Cette année, destination le pays de la faïence, tout près de Moustiers, dans les Alpes de Haute-Provence du 14 au 31 juillet.

Il y fait toujours beau et… chaud. Pour nous rafraîchir, nous avons trouvé une idée : un week-end canyoning dans les gorges du Verdon, tout près, les 23 et 24 juillet.

Et si tu venais avec nous ? C'est très amusant et puis, ne t'inquiète pas, il y a un parcours Initiation découverte pour les débutants !

Pour en savoir plus, tu peux consulter le site http://www.verdon-passion.com, mais surtout envoie-nous ta réponse le plus rapidement possible car il faut réserver longtemps à l'avance.

Nous espérons que tu diras oui.

À bientôt !

Paul et Anne

Vous répondez à vos amis. Choisissez la situation qui vous convient ; pour cela, cochez les cases que vous voulez dans les propositions ci-dessous. Rédigez ensuite votre réponse à partir de vos choix.

- Vous acceptez. ☐
- Vous serez en voyage à ce moment-là. ☐
- Vous proposez une autre date. ☐
- Vous faites une autre proposition d'activité. ☐
- Vous n'êtes libre que le samedi. ☐
- Vous attendez la visite d'un(e) amie ce week-end-là. ☐
- Vous demandez s'ils peuvent vous héberger. ☐
- Vous demandez le prix du week-end . ☐
- Vous demandez si votre ami(e) peut venir avec vous. ☐

> Soyez cohérent(e) avec les choix que vous avez faits : votre lettre doit correspondre à votre intention de communication.

●　_____
_____
_____
_____
_____
_____

157 Des amis français vous ont invité(e) à passer les fêtes de fin d'année avec eux.

Au retour, vous leur envoyez une petite lettre de remerciements.

Vous pouvez : ● remercier pour l'ensemble du séjour,
　　　　　　　 ● évoquer le cadre : la beauté des paysages (montagne, mer...) ou de la ville, le charme de la maison et l'ambiance, l'atmosphère,
　　　　　　　 ● rappeler un moment ou une activité que vous avez particulièrement apprécié(e) : *je n'oublierai jamais, je me souviendrai toujours de...*
　　　　　　　 ● annoncer l'envoi de photos,
　　　　　　　 ● dire qu'à votre tour, vous espérez les accueillir un jour dans votre pays.

Terminez par une formule amicale.

Il s'agit d'une lettre de remerciement, destinée de plus à des amis : elle doit être chaleureuse, amicale.

●　_____
_____
_____
_____
_____

158 Vous avez déménagé le week-end dernier. Des amis ont fait 300 km pour venir vous aider à emballer vos affaires, les transporter à votre nouvelle adresse et tout réinstaller.

Pour les remercier, vous leur envoyez une carte de remerciements électronique.

Vous pouvez : ● leur dire que, grâce à eux, vous êtes bien dans votre nouvel appartement,
　　　　　　　 ● les remercier pour leur aide, en particulier pour...
　　　　　　　 ● espérer qu'ils ne sont pas trop fatigués,
　　　　　　　 ● espérer les revoir (préciser quand, où...).

Terminez avec une formule amicale.

N'oubliez pas d'indiquer la date, de signer. Faites attention à la présentation et, comme pour tout texte écrit, à l'orthographe et à la ponctuation.

DROMADAIRE

De la part de :

159 Pour votre anniversaire, vos amis vous ont envoyé un cadeau. Décidez vous-même de quel cadeau il s'agit, par exemple d'un disque (musique ou chansons), d'un objet artisanal (céramique, tissage)...

Vous écrivez pour les remercier.

Vous pouvez :
- leur dire votre surprise quand vous avez reçu le paquet,
- les remercier d'avoir pensé à vous et de s'être souvenus de la date,
- leur dire combien vous appréciez le cadeau ; préciser pourquoi (si vous choisissez l'objet artisanal : les couleurs, la finesse du travail, par exemple) et/ ou dire comment vous l'avez immédiatement adopté (par exemple, pour un objet, dans quelle pièce vous l'avez mis),
- leur donner rapidement quelques nouvelles et leur en demander,
- espérer les revoir bientôt.

Terminez par une formule amicale.

160 Reportez-vous à l'activité 98.

Vous êtes intéressé(e) par une des annonces, vous voulez répondre.

Votre réponse est un peu différente si vous répondez à une personne qui <u>recherche</u> quelque chose ou si vous répondez à une personne qui <u>offre</u> quelque chose.

a) Sélectionnez, dans les propositions ci-dessous, ce que vous faites dans l'un ou l'autre cas.

Indiquez **1** dans la parenthèse si vous répondez à une demande.
Indiquez **2** dans la parenthèse si vous répondez à une offre.
Indiquez **1, 2** si la proposition convient dans les deux situations..

- Vous indiquez ce que vous avez à offrir. ( )
- Vous vous présentez. ( )
- Vous décrivez précisément ce que vous offrez. ( )
- Vous datez votre propre collection. ( )
- Vous dites quand, comment et pourquoi vous avez commencé à vous intéresser à... ( )
- Vous demandez comment vous pouvez faire parvenir votre envoi. ( )
- Vous acceptez bien volontiers. ( )
- Vous proposez quelque chose en échange. ( )
- Vous demandez quelque chose en échange. ( )
- Vous indiquez vos goûts, vos centres d'intérêt. ( )
- Vous demandez des précisions. ( )

b) Rédigez la lettre que vous envoyez à une personne qui recherche quelque chose ou quelqu'un.

- _____
- _____
- _____
- _____
- _____
- _____
- _____
- _____
- _____

c) Rédigez la réponse que vous envoyez à la personne qui offre sa collection de paquets de cigarettes.

- _____
- _____
- _____
- _____
- _____
- _____
- _____
- _____
- _____

Attention à la formule d'appel et à la formule finale !
Ce ne sont pas des lettres amicales (vous ne connaissez pas la personne) mais elles ne doivent pas non plus être trop formelles. Surtout bien sûr si, d'après l'annonce, vous pensez vous adresser à quelqu'un de jeune !

161 Des amis français partent en vacances dans votre pays au mois de juillet.

Ils vous ont écrit pour vous demander quelques renseignements sur le climat, les vêtements à emporter, les sites à ne pas manquer, les souvenirs à rapporter.
Vous leur répondez.

Vous pouvez dire par exemple : *n'oubliez pas d'emporter, de voir, de goûter..., il faut absolument visiter..., pour faire des affaires, je vous recommande le quartier..., vous devez..., c'est bien de..., il vaut mieux...*

● _____

_____

_____

_____

_____

_____

2 ▪ NOTES, MESSAGES

▪ 1. PRENDRE UN MESSAGE BREF ET SIMPLE ▪

162 Écoutez le message 1 de l'activité 15.

Vous êtes la réceptionniste de l'hôtel.
Vous finissez votre travail à 21 heures.
Vous notez le contenu du message de Monsieur Garcia pour votre collègue, veilleur de nuit, qui va vous remplacer.

● _____

_____

_____

_____

163 Écoutez le message 4 de l'activité 15.

Vous êtes Cathy.
Vous laissez un message sur le bureau du directeur : vous lui indiquez que vous allez assurer le cours à la place de votre collègue et lui donnez la raison.

● _____

_____

_____

_____

■ 2. ÉCRIRE UNE NOTE OU UN MESSAGE SIMPLE ET BREF ■

164 Reportez-vous à l'activité 44.

Le mari de Sylvie est sorti de sa situation difficile. Il emprunte le portable d'un automobiliste. Il envoie un SMS à sa femme pour la rassurer.

Imaginez ce SMS.

165 Reportez-vous à l'activité 94.

Vous êtes membre de l'Association « Saoû chante Mozart ».

Vous envoyez un courriel à la secrétaire de l'association pour :
- la remercier de sa lettre et l'informer que vous participerez à la fête d'anniversaire le 19 mai,
- lui indiquer que vous arriverez en voiture le mardi 18 après 20 heures,
- lui demander de bien vouloir vous réserver une chambre d'hôtel pour deux nuits.

Vous indiquez aussi que vous attendez sa réponse : elle peut vous joindre par courriel ou par téléphone.

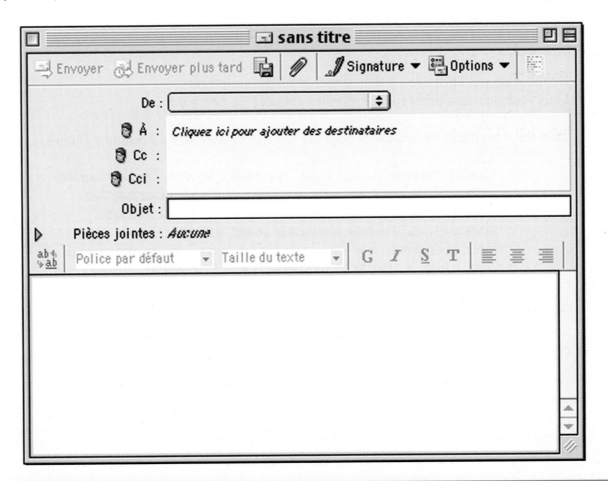

Libérez vos livres !

Quand on aime les oiseaux, on préfère ne pas les voir en cage... Et si c'était également vrai pour les livres ? C'est en tout cas ce que pensent les « passeurs de livres » qui appellent à la libération des livres.

Le principe ? Vous avez aimé un livre : ne le gardez pas pour votre étagère, elle n'en fera rien !

Libérez-le, laissez-le dans un lieu public, pour lui laisser la chance d'être lu par quelqu'un d'autre.

Source : http://www.lavoixdunord.fr

Participez vous aussi à cette libération des livres !
Offrez un livre que vous avez bien aimé à un lecteur inconnu.
Personnalisez votre cadeau : dédicacez-le !

Vous pouvez :
- vous adresser directement au futur lecteur avec *tu* ou *vous*,
- lui donner envie de lire le livre, le mettre en appétit,
- expliquer quelle a été votre propre découverte de ce livre,
- ....

Ne racontez pas l'histoire : il faut laisser le plaisir au lecteur...
Mais vous pouvez situer l'époque, donner une idée du genre du livre.

Voici deux exemples de dédicaces pour *Les Trois Mousquetaires* d'Alexandre Dumas.

Quelle chance tu as, ami inconnu, tu vas quitter notre XXIe siècle pour le XVIIe et vivre à toute vitesse des histoires passionnantes d'amour, de pouvoir, de rivalités et d'abord d'amitié avec les trois Mousquetaires qui en fait étaient quatre, tu vas voir. Allez, vite, à cheval ! J'espère que tu aimeras autant que moi... Tu risques juste la nuit blanche !

J'ai ouvert ce livre sans grande envie, c'était un « classique », mes parents me le recommandaient. Je n'ai pas pu le fermer avant d'avoir terminé et maintenant je ne sais pas de quel mousquetaire je suis le plus amoureuse. Peut-être d'Athos ? Alexandre le Grand a bien mérité le Panthéon* ! Bonne lecture !

* Les cendres d'Alexandre Dumas (1802-1870) ont été transférées au Panthéon de Paris, en novembre 2002. D'autres grands hommes français en particulier des écrivains célèbres, comme Victor Hugo, Zola reposent dans ce monument néo-classique du XVIIe siècle.

_____

_____

_____

_____

_____

_____

_____

167 Vous tombez en panne à l'étranger avec une voiture louée en France.

Vous téléphonez à l'agence de location pour lui demander ce que vous devez faire.
Le responsable vous prie de lui envoyer un fax en précisant le lieu où vous vous trouvez et la cause, selon vous, de la panne.

Rédigez votre fax.

FAX

De : ……………………………………   Date : ……………………………………

À : ……………………………………   Cette page + ………

Dans un courriel ou un fax, on termine aussi par une formule de politesse, mais plus simple, plus courte que dans une lettre.
Ex. Dans une lettre formelle, on écrit « Je vous prie d'agréer, Madame / Monsieur, mes meilleures salutations ». Dans un courriel ou un fax, on se contente de « Sincères salutations » ou « Cordialement ».

AU NIVEAU A2 DU CADRE COMMUN...
À L'ORAL, JE DOIS ÊTRE CAPABLE, PAR EXEMPLE, DE :

EN RÉCEPTION

- **IDENTIFIER** le sujet d'une discussion si l'échange est mené lentement et si l'on articule clairement.
- **SAISIR** le point essentiel d'une annonce ou d'un message brefs, simples et clairs.
- **COMPRENDRE, EXTRAIRE** l'information essentielle d'enregistrements traitant de sujets courants prévisibles.

EN PRODUCTION

- **DÉCRIRE** les gens, lieux et choses en termes simples.
- **DÉCRIRE** des projets, des habitudes et des occupations, des activités passées et des expériences personnelles.
- **EXPLIQUER** en quoi une chose me plaît ou me déplaît.
- **FAIRE** de brèves annonces préparées avec un contenu prévisible et appris.
- **FAIRE** un bref exposé préparé sur un sujet relatif à ma vie quotidienne, donner brièvement des justifications et des explications sur mes opinions, mes projets et mes actes.

EN INTERACTION

- **GÉRER** de très courts échanges sociaux.
- **FAIRE ET ACCEPTER** une offre, une invitation, des excuses.
- **DISCUTER** simplement de questions quotidiennes, de l'organisation d'une rencontre et de ses préparatifs.
- **DIRE** ce que je pense des choses si l'on s'adresse directement à moi dans une réunion formelle.
- **COMMUNIQUER** au cours de tâches simples courantes en utilisant des expressions simples pour avoir des objets et en donner, pour obtenir une information simple et discuter de la suite à donner.
- **ÉCHANGER** une information limitée sur des sujets familiers et des opérations courantes.
- **RÉPONDRE** à des questions simples et réagir à des déclarations simples dans un entretien.

À L'ÉCRIT, JE DOIS ÊTRE CAPABLE, PAR EXEMPLE, DE :

EN RÉCEPTION

- **COMPRENDRE** des textes courts et simples contenant un vocabulaire extrêmement fréquent y compris un vocabulaire internationalement partagé.
- **RECONNAÎTRE** les principaux types de lettres standard habituelles sur des sujets familiers.
- **TROUVER** un renseignement spécifique et prévisible dans des documents courants simples.
- **IDENTIFIER** l'information pertinente sur la plupart des écrits simples rencontrés tels que lettres, brochures et courts articles de journaux décrivant des faits.
- **COMPRENDRE** un règlement concernant, par exemple, la sécurité, quand il est rédigé simplement.
- **SUIVRE** le mode d'emploi d'un appareil d'usage courant.

EN PRODUCTION

- **ÉCRIRE** sur les aspects quotidiens de mon environnement, par exemple, les gens, les lieux, le travail ou les études, avec des phrases reliées entre elles.
- **FAIRE** une description brève et élémentaire d'un événement, d'actions passées et d'expériences personnelles.
- **ÉCRIRE** des biographies imaginaires et des poèmes courts et simples sur les gens.

EN INTERACTION

- **ÉCRIRE** une lettre personnelle très simple pour exprimer remerciements ou excuses.
- **PRENDRE** un message bref et simple à condition de pouvoir faire répéter et reformuler.

LE POINT

AVEC CE LIVRE,

À L'ORAL, J'AI APPRIS, PAR EXEMPLE, À :

EN RÉCEPTION

EN PRODUCTION

EN INTERACTION

À L'ÉCRIT, J'AI APPRIS, PAR EXEMPLE, À :

EN RÉCEPTION

EN PRODUCTION

EN INTERACTION

CRÉDITS

11 J. Birdsall/BSIP ; 14 MICHELIN ; 20 F. Stevens/Sipa ; 26 Iti Mappy – Atlas ; 28 Le Nouvel Observateur n° 2045 ; 31 F. Gella ; 33 DR ; 34 R. Hutchings/Corbis ; 35 (de gauche à droite à partir de Dôle) DR ; DR ; D. Corsain ; Graphiche Milan cards ; Photo M. Boseret/Artistic views Editions ; 37 DR ; 38 Le Nouvel Observateur n° 2087 ; 39-40 DR ; 44 Le Nouvel Observateur 5-11 février 2004 ; 45 Photos - Dessins ©CITEV -Train à vapeur des Cévennes ; 47 LACME ; 65 Royal Pizza ; 67g HPP/S. Grandadam - Hoa Qui ; 67d HPP/W. Buss - Hoa Qui ; 71 g É. Grandet ; 71 d The Image Bank/Getty Images ; 72 htg D. Raymer/Corbis ; 72 ht d The Image Bank/Getty Images ; 72 bg É. Grandet ; 72 bd Stone/Getty Images ; 79 DR ; 84-85 DR ; 90h Festival *Saoû chante Mozart* ; 90b CPA ; 91h « Ma Ligne Magazine » ; 91 b Fnac ; 93 Mairie du 1er arrondissement de Lyon ; 95 Prima ; 101 Comité départemental du tourisme de l'Allier ; 101 Catalogue *Contact* n° 399 ; 102 Télérama n° 2884 ; 108 OCP ; 109 Conseil général de l'Allier ; 110 DR ; 111-112 Communautés européennes ; 113 DR ;116 m Cézanne, *Portrait d'homme*, 1866. Malibu, Coll. of the J. Paul Getty Museum. Photo Archives Larbor ; 116 b E. Hopper, Portrait d'homme. Coll. Part. Hopper D.R./Bridgeman-Giraudon ; 117 *Portrait de jeune femme*, Égypte, 2e siècle ap. J.-C. Paris, musée du Louvre. Photo G. Blot/RMN ; 11 8 Photo S. Ruau/Aquarupella ; 119 Agence *Encore Eux*. Photos Roger-Viollet. ©Univers Poche ; 121 ©Microsoft – McCann ; 122 Le Monde 2, 9/10/2004 ; 123 DR ; 124 DR ; 126g HPP/E. Valentin - Hoa Qui ; 126 d HPP/Ph. Roy - Hoa Qui ; 128 A. Thévenart/Corbis ; 129 R. Mazin/Photononstop ; 131 R. Damoret/REA ; 133 René Magritte, *L'Empire des lumières*, 1954. Coll. Part. ©Photothèque R. Magritte - Adagp, Paris 2005 ; 139 g HPP/P. Escudero - Hoa Qui ; 139 d HPP/Serena - Hoa Qui ; 145 M.-J. Parizet ; 147 Serre.

N° Editeur : 10134868 - Juin 2006
Imprimé en France par I.M.E. - 25110 Baume-les-Dames